영화관에서의
일만 하룻밤

10001 Nights at the Movies

영화관에서의 일만 하룻밤

2022년 4월 1일 초판 1쇄 인쇄
2022년 4월 11일 초판 1쇄 발행

지은이 | 전양준
펴낸이 | 孫貞順

펴낸곳 | 도서출판 작가
(03756) 서울 서대문구 북아현로6길 50
전화 | 02)365-8111~2 팩스 | 02)365-8110
이메일 | morebook@naver.com
홈페이지 | www.morebook.co.kr
등록번호 | 제13-630호(2000. 2. 9.)

편 집 | 손희 양진호 설재원
디자인 | 오경은 박근영
마케팅 | 박영민
관 리 | 이용승

ISBN 979-11-90566-37-7 03680

잘못된 책은 구입하신 서점에서 바꾸어 드립니다.

값 18,000원

영화관에서의 일만 하룻밤

전양준 지음

작가

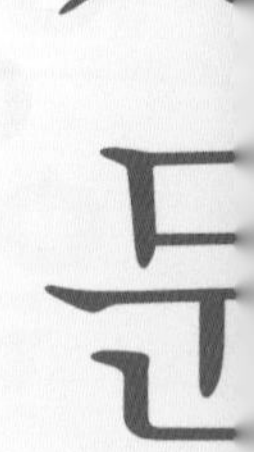

서문

1980년대 중반 을지로 입구에 있었던 미국 공보원을 자주 드나들면서 도서관 회원으로 가입했습니다. 그곳에서 폴라인 케일Pauline Kael의 『영화관에서의 오천 일일밤5001 Nights at the Movies: A Guide from A to Z』(1982)과 스탠리 카우프만Stanley Kauffmann의 『아메리칸 필름 크리티시즘American Film Criticism: From the Beginnings to "Citizen Kane"』(1972) 등 당시 미국 영화평론계를 주도했던 평론가들의 평론집을 읽으면서, 청소년 시절 KBS 명화극장이나 주한미군방송AFKN TV에서 봤던 인상적인 영화들의 일부나마 발견할 수 있었습니다. 또 고등학교 시절 프랑스 문화원에서 관람했던 프랑스 걸작들을 확인하며 예술영화를 바라보는 관점과 평가하는 기준들을 깨달았습니다.

『영화관에서의 일만 하룻밤10,001 Nights at the Movies』은 지난 30여 년 동안 수많은 영화제를 다니면서 영화제 전문가 또는 행정가로서 만났던 국내외 많은 영화인들과의 이야기를 담은 저서입니다. 이 졸저는 무성영화 시대부터 1980년대 초까지의 영화를 다룬 폴라인 케일의 역저를 향한 오마주이자, 한국영화의 세계화와 국제영화제의 발전을 위해 헌신해 온 국내의 모든 사람들에게 바치는 송사頌辭입니다.

1970년대 말 국내의 영화문화를 일신하겠다는 일념으로 결기 가득한 영화 학우들과 남산 독일문화원에 모여 동서영화연구회를 설립하고 함께했던 소중한 시간들이, 결국 이 장대한 영화 여정으로 이어진 것이라고 믿습니다.

개인적인 꿈이자 한국 영화계의 염원이었던 한국영화의 세계화와 부산국제영화제의 창설·발전이 실현될 수 있게 물심양면으로 도움을 주신 많은 분들께 충심으로 감사의 말씀을 전하고 싶습니다.

1990년대 초부터 30여 년간 지구를 100바퀴 주행하는 거리인 250만 마일을 오가면서 주기적으로 반복되는 제트렉과 고독을 느꼈고, 일본영화와 중국영화에 가로막혀 한국영화의 현주소를 찾을 수 없을 때마다 좌절의 연속이었지만 결말은 해피 엔드였습니다.

불굴의 영화기행의 동인과 영감을 제게 고취시키고 용기를 주면서 지지를 아끼지 않고 가장 어려웠던 순간에도 언제나 함께했던 많은 멘토들과 동지들이 없었다면 저는 아무것도 이루지 못했을 겁니다.

故 유현목 감독님, 故 오가와 신스케 감독님, 故 피에르 리시엥 한국영화전문가님, 이장호 감독님, 정지영 감독님, 김동호 강릉국제영화제 이사장님, 손숙 배우님, 박광수 감독님, 명계남 전 이스트필름 대표님, 박찬욱 감독님, 티에리 프레모 칸영화제 집행위원장님, 크리스티앙 죈 칸영화제 영화 부문 위원장님, 밀로롭 부코비치 전 세르비아필름센터 위원장님, 그리고 나의 친구이자 영원한 영화 동지였던 故 김지석 부산국제영화제 부집행위원장 등 어려운 순간마다 늘 함께해 준 모든 분들께 감사드립니다.

즐겁고 보람 있는 시간이 많았지만 고통스러운 시간도 없지는 않았던 25년을 끝내고 2021년 1월 31일 계약이 만료됨과 동시에 새로운 모험을 향해 부산국제영화제를 떠났습니다. 부산영화제를 창설하고, 부산영화제가 아시아 유일의 메이저 영화제로서의 위상을 확립하는 데 크게 기여했기 때문에 회한이나 미련은 없습니다. 그러나 부산영화제 사태로 인해 영화제 창설자들과 리더들이 정치인들과 그들의 추종자들에 의해 사분오열된 채 뿔뿔이 흩어져 서로 적대시하는 난제를 해결하지 못하고 떠나게 돼 매우 안타깝기도 합니다. 부산국제영화제에 있는 동안 국내외 여러분과 함께 일한 것은 제게 큰 즐거움이었고, 풍부하고 새로운 경험을 얻는 소중한 체험이었습니다. 여러분께 머리 숙여 깊이 감사드립니다.

국내에서 국제영화제의 개화기라고 할 수 있는 1990년대 초 서울에서 다양한 국제영화제 창설이 논의될 때, 신톡 감독님, 故 강한섭 교수와 함께 웨스틴조선호텔에서 조찬 회동을 하고 서울국제영화제 창설 가능성에 대해서 자유롭게 논의했던 것도, 기록으로 남겨 놓진 않았지만 하나의 중요한 동인으로 제게 오랫동안 각인되었던 것 같습니다. 한 번 더 행운이 따라 기회가 주어진다면 유능한 국내외의 영화제 전문가들을 모두 모아 아시아 최고의 경쟁영화제를 창설할 것입니다.

국내에 국제영화제가 도입된 지 26여 년이 지난 지금, 한국 국제영화제사의 흐름을 파악할 수 있는 유의미한 서적이 필요하다면서 흔쾌히 출간에 동의해주신 도서출판 작가의 손정순 대표님이 없었다면 이 책이 나오기는 어려웠을 것입니다. 글 작업이 가능할 수 있게 공간을 제공해주신 강우석 감독님과 권영락 대표님, 신주쿠양산박 종로양산박 최인범 대표님께 고마움을 전하고 싶습니다. 책 출간에 큰 관심을 갖고 교열을 자청한 전찬일 영화평론가에게 사의를 표합니다.

마지막으로 국가공무원도 아니면서 반평생을 보상 없는 영화 행정가로 살아온 나의 삶을 이해해주고, 자식 교육을 전담하면서 전력을 다해 조력해준 아내 이연주에게 처음으로 감사하다는 말을 전하고 싶습니다.

황무지였다. 한국영화를 보러 영화관 가기가 부끄럽게 느껴지는 시절이었다. 뛰어난 감독이 없어서가 아니라 혹독한 검열로 질식 상태에 몰려있었기 때문이다. 청와대에는 전두환이 앉았지, 극장에는 맨 사치스런 미국영화 아니면 싸구려 한국영화만 걸렸지, 참 견디기 어려웠다.

게다가 80년대 초 한국에는 도대체 영화라는 매체를 진지한 공부의 대상으로 여기는 이가 도무지 없었다. 여러 대학에서 모여 봐야 백 명도 채 안 됐다고 생각한다. 못 믿겠지만 사실이다.

이때 전양준 형을 만나지 못했다면 과연 내가 지금 뭘 하며 살고 있을지 모르겠다. 변변한 영화 관련 책도 없고 시네마테크도 없고 비디오가게도 없고 케이블TV도 없고 스트리밍 서비스도 없고 인터넷도 없던 시절, 대학 영화과에 적을 두지 않은 젊은이가 영화를 배울 기회가 그 덕분에 열렸으니까.

내 기억이 맞다면 나는 1985년에 그가 지도하는 공부모임에 들었다. 그 전부터 가끔 만나 영화 이야기를 나누긴 했지만 본격적으로 프로그램을 짜서 공부하기는 그때가 처음이었다. 워낙 비유가 적절하고 위트가 넘쳐서 그와 함께 공부할 때면 시간 가는 줄을 몰랐다. 교과서에 나오는 고전영화 볼 기회가 좀처럼 없던 우리는 그저 그의 이야기를 들으며 그 영화를 상상할 수 있을 따름이었다. 미장센과 편집까지 포함된 그 묘사가 얼마나 그럴듯했는지 우리는 마치 영화를 진짜로 본 것처럼 생생하게 맘속에 그릴 수 있었다.

나치의 침공으로 봉쇄된 레닌그라드의 에르미타주 미술관 가이드들이, 굶주림에 지친 아이들에게 루벤스며 벨라스케스를 설명했다는 이야기가 떠오른다. 걸작들은 진작 안전지대로 대피시켰으므로 그 벽은 비어있지 않았겠나. 가이드들은 순전히 기억에 의지해 그림을 말로 묘사해야 했다. 그 비슷한 일이 80년대 중반 서울에서 벌어진 셈이다.

머릿속 빈 스크린에 양준 형이 영사해준 구로사와 영화, 히치콕 영화들은 탄성이 나올 만큼 흥미진진했는데, 나중에 그 영화들을 실제로 보았을 때 그만큼 재미있지는 않다는 사실을 알고 얼마나 기가 막혔던지.

그에게서 들은 영화역사 이야기 중에는 고다르와 트뤼포 등의 프랑스 젊은 감독들이 영화제 중단을 요구했다는 68년 칸에 관한 것도 있었다. 그때 우리에게 영화제라는 건 그 정도에서 멈춘 먼 관심사였다.

그랬던 우리가 세월이 흘러 스스로 영화제를 만들기도 하고 제 영화로 영화제에 초대받기도 하는 어엿한 영화인이 되었다. 세계 어디든 영화제만 갔다 하면 그를 마주치게 되었다. 영화를 보고 고르고 영화인을 만나 정보를 나누고 초청을 하느라 나와 편안히 앉아 얘기를 나눌 짬 따위는 없었다. 동분서주란 말은 이런 사람한테 쓰라고 생겼겠다 싶었다.

그를 비롯한 몇 사람이 주동해 만든 부산국제영화제는 결국 세계 어느 나라 영화인도 다 가보고 싶어 하는 영화제 맛집이 되었다. 세계 어느 도시에서든 외국 영화인과 헤어질 땐 "씨 유 인 부산"이라고만 하면 좋은 인사가 되곤 했다. 부산국제영화제뿐인가, 지금도 전양준에게서 영향을 받은 사람들이 모여 열심히 영화도 만들고 시네마테크도 꾸리고 또 다른 영화제도 열고 저널도 내고 비평도 쓴다. 저마다 여기저기 크고 작은 그런 활동들을 통해 고급

관객은 또 얼마나 많이 만들어졌나. 나는 이 형이, 황무지였던 이 땅이 숲이 된 광경을 보며 조금 뿌듯해 해도 된다고 생각한다. 물을 대고 묘목을 심은 주인공이니 그럴 자격이 있다고 생각한다.

2022년 3월 1일 서울에서

영화감독 박찬욱

18년 전 내가 아티스틱 디렉터로 칸국제영화제에 부임했을 때 전양준 위원장을 처음 만났다. 전양준 위원장은 나의 지기이며, 언제나 재능있는 한국영화 감독들과 훌륭한 한국영화들을 소개해 주는 칸영화제의 오랜 친구이기도 하다.

매년 2월 그가 프랑스에 출장을 올 때마다 우리 칸영화제 파리 사무실에 들르곤 했고, 우리는 한국 영화 산업에 대한 새로운 소식과 부산국제영화제에 초청할 프랑스 영화들과 영화인들에 대한 소식들을 교환하는 시간을 가졌다.

매년 베를린국제영화제와 베니스국제영화제 개막식에서 그의 얼굴을 보면 늘 반가웠다. 그가 『영화관에서의 일만 하룻밤』을 출간한다는 소식을 듣고 무척 반가웠고, 특히 나의 동료인 고 피에르 리시엥에게 경의와 우정을 표하기 위해 많은 부분을 할애했다 하니 무척 고마울 따름이다.

올 11월에 출간 예정인 영문판이 기다려진다. 작년에 전 위원장이 부산국제영화제를 떠났지만 앞으로도 변함없이 한국영화를 전 세계에 널리 알리는 일을 지속적으로 할 것이라고 굳게 믿는다. 전양준 위원장 같은 재능있는 사람의 조력으로 칸영화제는 존재한다.

2022년 3월 1일 파리에서

칸국제영화제 집행위원장 티에리 프레모

FESTIVAL DE CANNES

Paris, March, 1st, 2022

I met Jay Jeon 18 years ago when I took my position as Artistic Director at Cannes. Jay is not only a good friend on a personal level but a friend of the Cannes Film Festival who has always done his best to introduce talented Korean directors and their excellent films to us.

He would visit our Paris office every February and we would exchange the latest information about our respective film industries, including info on which French directors and films were invited to BIFF as well as the latest news about the Korean film industry.

It is always a pleasure to see his face and say "hi" when we meet at the opening ceremonies at Berlin and Venice. I was so pleased when I heard that he is to publish <10,001 Nights at the Movies> and was especially moved to hear that he will spend a considerable section of the book devoted to my late colleague, Pierre Rissient.

I can't wait to read the English-language version which, I hear, will be published in November. Although Jay left BIFF last year, I am extremely confident that he will continue with his life-long work of introducing great Korean films to the rest of the world.

The Cannes film festival [illegible] exist also with the support and talent of people like Jay Jeon!

Thierry Frémaux
General Delegate

영화관에서의 일만 하룻밤

일러두기

1. 이 책의 표기는 현행 맞춤법에 따르되 작가만의 독특한 어휘나 대화 등은 최대로 살렸다.
2. 문장 부호는 원본에 따르되 읽기 불편하거나 어색한 곳은 적절히 조절하였다.
3. 외국인 인명과 지명 등 고유명사의 표기는 외래어 표기법을 기준으로 하였고 일부는 통용되는 방식을 따랐다. 원어를 첨자로 병서하였고, 여러 번 되풀이되는 경우 첫 번째 단어에 한하여 병서하였다.

1 첫걸음

2 시네마 기행 1 : 스케치

3 시네마 기행 2 : 운영

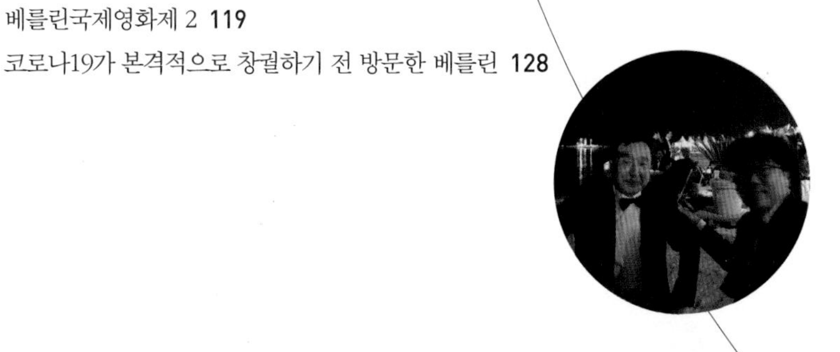

4 프랑스, 영화

5 영화관에서의 일만 하룻밤

1

영국 코벤트리Coventry에 있는 워릭대학교University of Warwick 대학원에서 영화학을 공부하고 있을 때였다. 런던의 국립영화관National Film Theatre과 독립예술영화관에서 상영되는 다양한 영화를 섭렵하기 위해 2, 3 주에 한 번씩은 중부의 코벤트리에서 기차로 두 시간여 거리에 있는 런던에 가곤 했다. 이틀 동안 예술영화 대여섯 편을 집중적으로 보고 당시 런던영화학교를 다니고 있었던 학우 김달선 씨와 영화에 대한 정보를 공유하면서 우의를 다지기도 했다. 특정 장르나 국가, 작가나 스타일 등을 주제로 다양한 예술영화를 중점적으로 프로그래밍해서 보여주는 런던의 독립영화관인 스칼라극장Scala Theater, 에브리맨시네마Everyman Cinema와 같은 레퍼토리 시네마Repertory Cinema와 국립영화관 등을 탐험하며 한국에서 보기 어려웠던 유럽의 작가주의 영화, 할리우드의 고전 영화 등 주로 독립영화들 중심으로 한 번에 두세 편씩 몰아보곤 했다. 워릭대학교에서 미클로슈 얀초Miklós Jancsó 감독의 〈검거The Round-Up〉(1966) 등 동유럽의 걸작들을 16㎜ 영사기를 통해 보기도 했었지만, 런던의 영화관에서 큰 화면으로 영화를 보는 것은 영화 보기의 진정한 즐거움이었다.

첫걸음

돌아보면 잊을 수 없는 명작 첸 카이거Chen Kaige 감독의 〈황토지Yellow Earth〉(1984)를 본 것도, 중국의 5세대 감독들의 영화를 만난 것도, 장이머우Zhang Yimou 감독을 직접 대면한 것도 모두 홍콩국제영화제에서였다. 홍콩에서의 나의 경험은 김지석 부위원장에게 가감 없이 전달되었다. 아시아 영화에 몰두하기 시작한 김 부위원장은 어떠한 어려움이 있더라도 매년 3월이면 홍콩으로 달려가는 고정적 참가자로 등재되었다.
2018년 1월, 김지석 부위원장에게 아시아영화에 대한 애정과 프로그래머의 소명의식을 전해 주었던 홍콩의 웡 아인링Wong Ain-ling 교수가 타계했다는 소식을 들었다. 그녀가 새로운 한국영화들에 보여준 관심과 후의에 대해서 지금도 여전히 감사한 마음을 갖고 있다.

관객으로서 본 런던국제영화제

London International Film Festival

BFI 런던국제영화제
10월 중순 2주 동안 런던에서 개최되는 65년의 역사를 자랑하는 비경쟁영화제이다. 영국영화협회British Film Institute가 주관 단체이다.

영국 코벤트리Coventry에 있는 워릭대학교University of Warwick 대학원에서 영화학을 공부하고 있을 때였다. 런던의 국립영화관National Film Theatre과 독립예술영화관에서 상영되는 다양한 영화를 섭렵하기 위해 2, 3주에 한 번씩은 중부의 코벤트리에서 기차로 두 시간여 거리에 있는 런던에 가곤 했다. 이틀 동안 예술영화 대여섯 편을 집중적으로 보고 당시 런던영화학교를 다니고 있었던 학우 김달선 씨와 영화에 대한 정보를 공유하면서 우의를 다지기도 했다. 특정 장르나 국가, 작가나 스타일 등을 주제로 다양한 예술영화를 중점적으로 프로그래밍해서 보여주는 런던의 독립영화관인 스칼라극장Scala Theater, 에브리맨 시네마Everyman Cinema와 같은 레퍼토리 시네마Repertory Cinema와 국립영화관 등을 탐험하며 한국에서 보기 어려웠던 유럽의 작가주의 영화, 할리우드의 고전영화 등 주로 독립영화들 중심으로 한 번에 두세 편씩 몰아보곤 했다. 워릭대학교에서 미클로슈 얀초Miklós Jancsó 감독의 〈검거The Round-Up〉(1966) 등 동유럽의 걸작들을 16㎜ 영사기를 통해 보기도 했었지만, 런던의 영화관에서 큰 화면으로 영화를 보는 것은 영화 보기의 진정한 즐거움이었다.

그러던 중 1985년 10월, 런던국제영화제(현재 BFI 런던국제영화제)에서 장 뤽 고다르Jean Luc Godard 감독과, 누벨바그 시절의 고다르와 함께 거론되던 폴란드의 예르지 스콜리모브스키Jerzy Skolimowski 감독의 신작 〈등대선The Lightship〉(1985)이 상영된다는 것을 알고 달려갔다. 지금으로부터 37년 전인 그때, 몇 편의 영화제 상영작을 본 것이 관객으로서 국제영화제에 참가한 나의 첫걸음이었다. 그때는 관객과 감독의 소통이 이루어지는 '관객과의 대화'의 중요성이나 진정한 의미도 몰랐기에, 정해진 시간에 또 다른 영화를 보기 위해

런던 국립영화관 앞에서

국립영화관에서 에브리맨시네마까지 영화관을 옮겨 다니며 영화 보기에 급급했던, 그야말로 초보 시절이었다. 그때 런던국제영화제에서는 1984년 제37회 칸국제영화제 주목할 만한 시선 부문에 한국영화로는 처음으로 초대된 이두용 감독의 〈여인잔혹사 물레야 물레야〉(1983)도 상영됐지만, 나는 서울에서 이미 봤기 때문에 큰 관심을 두지는 않았다.

게스트로서 첫 참가한 야마가타국제다큐멘터리영화제

Yamagata International Documentary Film Festival

야마가타국제다큐멘터리영화제
아시아 최대의 다큐멘터리 경쟁영화제이다. 격년제로 일본 동북부의 야마가타에서 열린다.

본격적으로 국제영화제에 대해 관심을 갖게 된 계기는 1989년 창설되어 세계 다큐멘터리 영화계에서 좋은 평가를 받고 있는 야마가타山形국제다큐멘터리영화제Yamagata International Documentary Film Festival였다. 나는 1991년 9월, 제3회 영화제에 앞서 봄에 도쿄에서 열리는 프리페스티벌에 초대를 받았다. 아시아 다큐멘터리의 현주소를 살펴본다는 취지의 패널 행사에 한국 독립영화계 대변인 역할로 참가하게 된 것이다. 대만 여성 평론가 페기 차오Peggy Chiao와, 미국 펜실베니아대학의 와튼 스쿨에서 비즈니스를 공부했으나 반미 성향으로 미국에 대한 비판적인 입장을 갖고 있었던 필리핀 독립영화의 상징적 인물인 키들랏 타이믹Kidlat Tahimik 감독도 초대됐다. 야노 가츠유키Yano Kazuyuki 집행위원장이 행사 사회를 맡았다.

이들과 새롭게 교류하면서 그동안 관심을 덜 가졌던 아시아영화와, 특히 다큐멘터리의 현황에 대해 새롭게 눈을 뜨는 계기가 되었다. 무엇보다도 야

키들랏 타이믹 감독(중), 故 오가와 신스케 감독(우)

노 가츠유키 위원장과 조직위원장인 오가와 신스케Shinsuke Ogawa 감독을 알게 된 것은 매우 유익한 기회였다. 도쿄 행사는 짧은 여정으로 예정돼 있었다. 3월 중순의 초봄 날씨라 다소 두툼한 외투와 단출한 짐밖에 가져가지 않았는데, 뜻밖에 야노 가츠유키 위원장으로부터 홍콩국제영화제Hong Kong International Film Festival에 함께 가자는 제안을 받았다. 나는 “아무것도 준비된 게 없다. 여행 경비도 없고, 얇은 옷도 없는데 어떻게 가냐?”고 했는데, 몸만 같이 가면 된다는 그의 말을 따라 홍콩 여정에 올랐다. 아열대 기후인 홍콩은 초여름 날씨가 계속되고 있을 거라는 상식적인 사실조차 알지 못한 채. 그렇게 우연히 1991년 제15회 홍콩국제영화제에 참관하게 되는 기회를 맞았고, 본격적으로 국제영화제를 살펴보게 되었다.

故 오가와 신스케 감독 자택 앞에서

압바스 키아로스타미 감독(가운데)

에드워드 양 감독

홍콩국제영화제

Hong Kong International Film Festival

International
HK Film Festival
香港國際電影節

홍콩국제영화제
46년의 역사를 자랑하는 아시아의 대표적인 비경쟁영화제이다. 중국 정부의 영화 매체에 대한 검열과 통제를 극복해야 하는 장기적인 과제를 안고 있다.

나는 홍콩국제영화제에서 아시아 각국의 정치·사회적 모순과 황폐한 삶의 조건에 놓인 사람들을 묘사한 극영화와 다큐멘터리들이 검열 없이 상영되고, 감독과 관객들이 가감 없이 자유롭게 토론하는 모습에 신선한 충격을 받았다. 한편으로는 부러움을 느끼기까지 했다. 내가 처음 영화제 관객으로 참가했던 런던국제영화제에서는 전혀 느끼지 못했던, 새로운 경험이었다. 홍콩영화제와 자유로운 홍콩 사회의 우월함과 진보적이고 발전적인 모습을 확인하는 자리였고, 표현의 자유가 얼마나 중요한 것인가 새삼 깨닫는 순간이었다. 이는 아시아영화에 새롭게 주목하게 되는 계기가 되었다. 우리나라에도 이러한 영화제가 꼭 필요하다는 것을 처음으로 느낀 순간들이었다.

그때의 나는 영화제를 창설하겠다는 생각보다는, 일관되게 예술영화를 만드는 감독이 반드시 필요하며, 그들과 함께 협업하는 예술영화 프로듀서가 되고자 하는 생각을 가지고 있었다. 한국영화가 관객들에게 좋은 평가를 받기 위해서는 예술작품으로서의 영화를 만드는 사람들이 필요하며 거기에 일조하는 프로듀서가 되어야 한다고 마음먹었던 것이다.

또한 1980년대에 만들어진 필리핀 극영화와 다큐멘터리가 상당한 파워를 가지고 있었는데, 필리핀 사회의 정치적 모순과 절망적인 사회의 어두운 단면을 그대로 드러내며 최악의 권위주의 사회에 정면 도전하는 용감한 감독들과 그들이 만든 영화의 힘에 대해 존경심을 갖게 되었다. 이러한 진정한 영화인들을 매년 초대하는 홍콩영화제가 아시아에서 가장 높은 평가를 받는 영화제일 수밖에 없었다. 그 후 나는 매년 3월, 영화제 참가를 위해 홍콩을 찾기로 결심한다.

돌아보면 잊을 수 없는 명작 첸 카이거Chen Kaige 감독의 〈황토지Yellow Earth〉(1984)를 본 것도, 중국의 5세대 감독들의 영화를 만난 것도, 장 이머우Zhang Yimou 감독을 직접 대면한 것도 모두 홍콩국제영화제에서였다. 홍콩에서의 나의 경험은 김지석 부위원장에게 가감 없이 전달되었다. 아시아영화에 몰두하기 시작한 김 부위원장은 어떠한 어려움이 있더라도 매년 3월이면 홍콩으로 달려가는 고정적 참가자로 등재되었다.

2018년 1월, 김지석 부위원장에게 아시아 영화에 대한 애정과 프로그래머의 소명의식을 전해 주었던 홍콩의 웡 아인링Wong Ain-ling 교수가 타계했다는 소식을 들었다. 그녀가 새로운 한국영화들에 보여준 관심과 후의에 대해서 지금도 여전히 감사한 마음을 갖고 있다.

친절한 웡 교수의 호의로 내가 당혹스러운 상황을 맞이한 적이 있는데, 지

2019년 3월 홍콩국제영화제에 참석한 아시아 영화산업의 주요 인사들
지아 장커 감독 부부, 조니 토 감독, 윌프레드 웡 홍콩 필름 소사이어티 회장, 타케오 히사마츠 도쿄국제영화제 집행위원장, 제니퍼 자오 대만 타이페이영상위원회 디렉터, 오석근 한국영화진흥위원회 위원장

금은 물론 웃으며 돌아볼 수 있는 추억이다. 장선우 감독이 〈화엄경〉(1993)을 가지고 홍콩영화제에 갔을 때였다. 아시아 담당 프로그래머였던 웡 교수는 한국에서 반가운 친구들이 왔다고 하며, 우리를 시우초우潮洲 요리로 유명한 중국식당으로 초대했다. 특별 메뉴를 주문했는데, 우아하고 반짝거리는 은쟁반에 어떤 요리가 등장했다. 은쟁반 위의 뚜껑을 열었는데 생선인가 싶기도 하고 아닌 것 같기도 한, 알 수 없는 것의 머리가 무려 열 개나 있었다. 닭 알러지가 있어 알 수 없는 음식에는 함부로 손대지 않는 나는 말할 것 없고 장선우 감독조차 엄두를 못내다 조심스럽게 시도했는데, 알고 보니 그것

지아 장커 감독, 자오 타오 배우

은 비둘기 머리 요리였다.

홍콩 요리 이야기를 하니 2019년 3월, 홍콩에서의 호사스러운 저녁 만찬이 떠오른다. 앞에서 잠시 언급했듯 나는 새, 닭 등 모든 종류의 가금류 육수가 들어간 음식에 심각한 육체적, 정신적인 알러지가 있다. 그래서 결코 미식가가 될 수 없는 사람이고, 닭고기 풍미를 가장 사랑하는 중국 음식과는 거리를 둘 수밖에 없다. 그런데 홍콩영화제 윌프레드 웡Wilfred Wong 조직위원장의 초대로 간 하워드 구르메Howard's Gourmet라는 레스토랑에서 기적과도 같은 경험을 했다. 웡 위원장이 광저우에서 최고 쉐프를 발견하고 홍콩 센트럴에 레스토랑을 열게 했다고 하는데, 그 고급식당의 경영자이자 대표 요리사가 나를 위해 모든 닭고기 육수가 들어가는 요리를 야채 육수로 대신해 만들어주었던 것. 내가 아무 걱정 없이 먹을 수 있도록 한 배려였다. 그동안 홍콩을 수없이 방문했지만, 그때 나는 처음으로 진짜 광동요리를 마음껏 즐길 수 있었다. 그 자리에는 저녁 만찬의 주최자인 윌프레드 웡을 비롯해 조니 토Johnnie To 감독, 지아 장커Jia Zhangke 賈樟柯 감독, 지아 장커 감독의 부인이며 배우인 자오 타오Zhao Tao 赵涛, 도쿄국제영화제 집행위원장이었던 타케오 히사마츠Takeo Hisamatsu, 대만 타이페이영상위원회 디렉터 제니퍼 자오Jennifer Jao, 오석근 영화진흥위원회 위원장과 함께 했는데 결코 잊을 수 없는 환상적인 저녁이었다. 1991년 처음 겨울옷을 입고, 여행경비 하나 없이 홍콩을 찾았던 나의 '옛날 옛적' 홍콩에서의 시절과 겹쳐지며, 삼십여 년 후 격세지감을 느끼지 않을 수 없었다.

첫 해외 조문

1992년 2월, 야마가타국제다큐멘터리영화제의 창설자이자 조직위원장이었던 오가와 신스케 감독이 지병으로 별세했다. 별세하기 전 그가 오래 견디지 못할 거라는 소식을 듣고, 나는 사이타마현에 있는 한 시립병원에서 투병 중인 오가와 감독의 병문안을 갔다. 체중이 많이 줄고 수척한 모습의 그는 와줘서 고맙다는 말만 간신히 하며 내 손을 꼭 잡아주었다. 이것이 내가 본 그의 마지막 모습이었다.

얼마 지나지 않아 난생처음 나는 외국으로 조문을 가게 됐다. 일본 정부에 늘 반대했고, 특히 나리타 공항 건설에 결사항전을 내걸은 투사였지만 일본 다큐멘터리의 거목이었던 그를 잃은 슬픔에 많은 영화인들이 조문을 다녀갔다. 하지만 해외에서 직접 찾아온 조문객은 거의 없어서, 자연스레 나는 야마가타 지역 언론으로부터 해외 조문 인사로 주목을 받았다. 영화제의 한국어 통역사였던 아오키 신스케 씨의 도움으로 지역 언론들과 인터뷰를 하기도 해, 지역 신문과 영화제 뉴스레터에 나에 대한 기사가 게재되었다. 아오키 씨에 따르면 일본에서는 조의금으로 1, 3, 5만엔 등 홀수의 액수를 내는데 1만엔을 준비하는 사람은 거의 없다고 했다. 나에게 일본의 조의금 문화에 대한 배움을 준 아오키 씨는 이 인연으로 부산국제영화제 초창기에 일본의 자막 시스템을 도입하는 데 도움을 주고, 일본 영화 자막팀의 팀장으로 처음 몇 년간 자막 작업을 도와주기도 했다.

오가와 신스케 감독 사후에도 나는 지속적으로 1990년대 중반까지 격년으로 열렸던 야마가타영화제에 참석했다. 그때 한국에서는 변영주 감독이 일본군 위안부 다큐멘터리 '낮은 목소리 시리즈' 3부작인 〈낮은 목소리-아시아에서 여성으로 산다는 것〉(1995), 〈낮은 목소리 2〉(1996), 〈낮은 목소리 3-숨결〉(1999)로 고정 게스트로 초대됐다. 감독으로서 입신양명하기 이전의 가와세 나오미Naomi Kawase 감독도 다큐멘터리스트의 꿈을 가지고 그 영화제에는 참석하곤 했었다. 영화제에 대한 명성과 좋은 소문을 듣고 한국의 적지 않은 독립영화인들도 야마가타를 찾곤 했다. 그때 적지 않은 영화인들이 국내에도 그런 영화제가 필요하다는 생각을 하지 않았을까 싶다. 권위 있는 경쟁부문과 모든 게스트를 가족처럼 대하는 영화제 특유의 친화력이 있는 분위기가 좋은 입소문을 내면서, 야마가타영화제가 단기간에 세계 정상급 다큐멘터리영화제로 부각될 수 있지 않았을까? 다큐멘터리 경쟁영화제의 최고봉인 암스테르담국제다큐멘터리영화제International Documentary Film Festival Amsterdam에 버금가는, 전 세계에서 손꼽을 수 있는 중요한 영화제로 인정받기까지는 결코 많은 시간이 걸리지 않았다.

지난 이십여 년 동안 세계적으로 손꼽히는 다큐멘터리 영화제의 위상을 유지해오던 야마가타영화제가 최근 야마가타시의 예산 감축, 무관심과 홀대로 큰 어려움을 겪고 있다는 이야기를 전해 들었는데, 상황이 좀처럼 나아지지 않고 있어 매우 안타까운 일이다.

페자로국제영화제

Pesaro Film Festival

페자로국제영화제
아름다운 해안 도시 페자로에서 열리며, 새로운 영화를 발굴하여 전 세계에 알리는 역할을 하고 있다.

로마에서 동북쪽으로 차를 타고 5시간 정도 달리면 해안에 위치한 아름다운 도시 페자로Pesaro가 나타난다. 페자로국제영화제는 1965년 16개국의 영화를 상영하면서 시작되었고, 이 영화제가 지향하는 목적은 새로운 영화를 발굴해 전 세계에 널리 알리는 것이다.

페자로영화제는 비경쟁이고 스타가 잘 눈에 띄지 않는 작은 영화제이지만 현대 영화사의 중요한 위상을 차지하고 있는 전 세계 작가들과 작품들을 소개한 중요한 영화제다. 1988년부터 세계 무대에서 각광을 받기 시작한 한국영화에 대해서도 깊은 관심을 갖고 대거 30편을 초청했다.

한국영화가 이탈리아의 동쪽 페자로로 간 까닭과 그 의의를 설명하기 위해서는 페자로영화제 집행위원장 아드리아노 아프라Adriano Apra 씨의 이야기를 빼놓을 수 없다. 자신의 영화제에서 '한국영화주간'을 특별행사로 결정한

배창호 감독, 안성기 배우, 마르샬 크나벨 대표(좌측부터)

시네마테크 프랑세즈가
퐁피두 센터 안에 있던 시절

아드리아노 아프라 집행위원장

아프라 씨는 한국을 방문했고, 영화진흥공사(현 영화진흥위원회)와《영화언어》편집인들을 중심으로 한 젊은 평론가들을 동시에 접촉했다. 아프라 씨는 나를 포함한 젊은 평론가들과 길게 의견을 나누었다. 그 이유는 다름 아닌 한국영화에 대한 안내 책자와 연구서를 이탈리아어로 출간하기 위해서였다. 당시 52세였던 아프라 씨는 사회주의자로서 1966년에《치네마와 필름》이라는 계간지를 만들면서 평론 활동을 시작했다. 그 잡지는 당시 크게 유행하던 영화작가주의의 영향을 받아 미국영화를 재평가하는 작업을 했고 새로운 영화와 영화작가를 소개했으며 이탈리아에서는 처음으로 기호학을 영화이론에 접맥시켰는데, 아프라 씨는 그때부터 연구원으로 일하면서 페자로영화제와 인연을 맺었다.

이탈리아 언론이 관심을 갖지 않는 나라의 작가와 작품을 발굴하여 소개하는 작업을 지속적으로 해 온 아프라 씨는 한국영화가 처음으로 국제무대에 널리 알려질 수 있는 좋은 기회를 우리에게 제공했고, 영화진흥공사와 평론가들의 적극적인 협조로 그의 계획을 실현시킬 수 있었다. 그동안 외국으로의 반출이 쉽게 허용되지 않았던 한국영화를 대표하는 사회 드라마들이 아프라 씨의 등장으로 인해 출로가 열린 것이었다.

한국의 뉴시네마를 대표하는 이장호, 배창호, 박광수 감독과 한국의 국민배우 안성기 씨, 그리고 영화진흥공사의 젊은 직원 이건상 씨가 국내 신문에 보도된 한국대표단의 전 구성원이었지만 사실 페자로로 가는 길에는 영화제에서 초청한 경성대 이용관 교수와 김지석 선생, 영화평론가 이효인 씨, 그리고 내가 동행하고 있었다.

암스테르담의 스히폴 공항을 경유하는 16시간의 비행 끝에 우리는 비가 내리는 어두운 밤 로마의 레오나르도다빈치 공항에 내렸고, 우리를 기다리는 아프라 씨의 안내를 받았다.

제28회 페자로영화제는 한국영화 주간과 1980년대에 만들어진 장·단편 영화를 소개하는 프랑스영화 상영전, 그리고 회고전으로는 비토리오 데 시카Vittorio De Sica 감독이 연출을 하거나 배우로 출연한 전 작품과 1910년대 영국, 덴마크, 프랑스 등에서 만들어진 초창기의 극영화들을 보여주었다. 아스트라 영화관에서는 데 시카의 영화가 끊임없이 돌아갔다. 모테르노영화관에서는 한국과 프랑스 그리고 초창기 극영화들이 상영되었고 관객과의 대화와 토론회가 열렸다.

현지에서의 한국영화에 대한 반응은 우리의 기대를 훨씬 웃도는 것이었다. 상영 여부를 놓고 아프라 씨와 영화진흥공사가 갈등을 빚었던 〈파업전야The Night Before Strike〉(1990)에 대한 반응은 대단했다. 기술적 결함에도 불구하고 영화의 에필로그가 갖고 있는 힘 때문인지 열광적인 박수가 터져 나왔고, 눈물을 보이는 관객도 있었다. 〈파업전야〉 이후 모든 영화들은 박수갈채와 함께 호평을 받았다.

영화진흥공사는 〈파업전야〉가 상영목록에 포함되어 있는 것을 알고 문제를 삼았는데, 영화진흥공사로부터 대책을 강구하라는 연락을 여러 차례 받았고, 대표단을 철수하라는 이야기가 나오기도 했다. 다행스럽게도 상황은, 아프라 씨가 영화진흥공사에 사전에 〈파업전야〉의 상영을 통보하지 않은 점은 사과하고 예정대로 영화는 상영하는 선에서 마무리되었다. 그 과정에서 배창호 감독이 영화진흥공사를 설득했다고 한다.

처음부터 끝까지 우호적인 태도를 보인 이탈리아 언론은 크게 두 가지 방향으로 한국영화를 다루었다. 하나는 낯선 한국영화에 대한 개괄적인 소개이고, 다른 하나는 이미 유럽에 어느 정도 알려져 있는 임권택 감독에 대한 평가와 더불어 자국의 네오리얼리즘 영화와 비교하는 등의 다양한 방법으로 한국의 정치·사회 영화를 격려하는 것이었다.

〈바람불어 좋은 날Good Windy Day〉(1980)이 끝난 직후에 진행된 첫 번째 관객과의 대화에서, 다양한 형식을 보여주는 그의 스타일에 대한 관객의 질문에 이장호 감독은 한국영화에는 고전적 할리우드 문법만이 있을 뿐 한국적 형식은 존재하지 않는다고 주장하면서 자신은 다양한 영화 형식의 실험을 하고 있고 그런 것들이 특징적으로 정의할 수 있는 미래의 한국영화 형식이 될 것이라고 예견했다. 관객들이 깊은 관심을 갖고 물은 검열 문제에 대해서는, 최근에는 많이 개선되었고 오히려 자기 검열을 시도하는 창작자 개인의 의식구조가 더 문제가 되고 있다고 답하면서 여전히 군부비판은 허용되지 않고 있으며, 설사 그런 영화를 만든다고 해도 장비 동원 문제로 인해 군의 협조 없이는 제작이 불가능할 것이라고 전망했다.

두 번째 관객과의 대화에서 박광수 감독은 〈그들도 우리처럼Black Republic〉(1990)의 시대적 배경과 정치적 상황을 설명했고, 1980년부터 1987년까지의 사회 상황을 요약한 회상 장면 중 광주민주화운동과 관련된 4개의 쇼트가 삭제될 수밖에 없었다고 말했다.

세 번째 관객과의 대화는 배창호 감독 차례였다. 그는 영화를 '우리들 영혼의 거울'이라고 비유하면서, 자신의 영화경력을 소개했다. 그곳에서 좋은 평가를 받은 〈황진이〉(1986)에 대해 질문들이 집중되었고, 배 감독은 여러가지 까다로운 물음을 소상하게 답하면서 관객들에게 황진이의 시조가 완전히 잘못 번역된 점을 사과하고, 차후에 정확한 번역본을 보여줄 것을 약속하기도 했다.

오전 10시부터 3시간 반 동안 벌어진 토론회는 사회자인 아프라 씨가 우리에게 질문을 던지거나 설명을 요청하는 형식으로 진행되었다. 이장호 감독, 배창호 감독, 박광수 감독, 안성기 씨가 한국의 영화제작 상황 속에서 어떻게 영화경력을 쌓아왔는가를 진지하고 소상하게 소개했고, 많은 저널리스트들은 그것을 열심히 옮겨 적었다.

내가 설명을 요청받은 내용은 한국에서의 영화평론의 현황과 페자로에서 상영된 영화들에 대한 평가에 관한 것이었다. 나는 거기서 상영된 영화들과 아직도 한국에 남아있는 이삼십여 편의 영화는 명실공히 한국영화를 대표할 만한 영화들이고, 외국의 영화평론가들은 머지않아 그것들을 한국영화의 뉴웨이브라고 부를 것이라고 언명했다.

페자로 유일의 고급 호텔인 비토리아에서 펼쳐진 영화진흥공사 주최의 칵테일 리셉션에는 적잖은 돈이 들었지만, 예상보다 훨씬 많은 사람들이 몰려와 한국영화의 앞날을 축복해주었다. 프랑스 대표단과 이후 한국영화제를 계획하고 있는 여러 나라의 영화제 프로그래머들, 많은 저널리스트들, 평론가들이 참석했다. 페자로영화제를 계기로 1993년까지 한국영화 붐이 지속될 것으로 예상됐다. 1993년 초 열릴 스위스 프리부르국제영화제는 이장호 감독을 초청하기 위한 준비를 시작했다. 뉴욕의 현대예술박물관과 런던에서 각각 대규모 한국영화 상영이 있었다. 파리 퐁피두 센터에서 한국영화 특별전이 열리면서 유럽에 새로운 한국영화가 널리 알려지게 되었는데, 그 특별전을 아프라 씨가 프로그래밍을 한 것이었다. 그에 대한 공로를 인정받아 아프라 씨는 제1회 부산국제영화제에서 한국영화공로상을 수상하게 된다.

이탈리아 관광공연부와 페자로 시정부, 주정부로부터 6억 리라(약 4, 5억 원) 정도의 예산을 받아 운영되는 페자로영화제에서 우리의 사회적 · 영화적 현실을 은폐하지 않고 진솔하게 밝힘으로써 페자로에서의 성공이 이루어진 것이라고 인식하는 것은 중요하다.

한국영화는 페자로에서 비로소 가장자리 영화문화에서 벗어나 세계영화계에서 공적인 존재가 된 셈이며, 세계영화문화의 중심으로 들어가기 위해서는 이처럼 부단한 노력을 경주해야 한다. 감독들은 좋은 영화를 만들기 위해 자신들의 영화관을 재고해야 할 필요가 있으며, 평론가들과 영화학자들은 영어로 된 한국영화 관련 서적이 한 권밖에 되지 않는다는 사실 하나만으로도 정신차려야 한다. 5년 전에도 이런 행사를 열 수 있었던 영화진흥공사는 한국영화 발전을 위해 심야에도 불이 꺼지지 않는 단체로 새롭게 거듭나야 할 것이다.

내가 또 꿈을 꾸는 것인가? 그렇지 않다. 우리 모든 영화인들의 꿈은 3년 내에 이루어진다.

비운의 고베독립영화제

Kobe International Independent Film Festival

고베독립영화제
독립영화 진흥을 목적으로 세워진 영화제이다. 1995년 고베시 전역을 강타한 지진의 여파로 한동안 개최되지 못했으나, 최근 들어서 작은 규모로 다시 열리고 있다.

고베神戸독립영화제는, 1896년에 영화를 처음 소개하여 일본 및 전 세계의 독립영화를 진흥시켰지만 지금은 영화문화가 크게 위축되어 있는 고베시의 자존심을 회복하기 위해서 만들어졌다.

고베영화제는 첫 번째 행사를 성공적으로 이끌기 위해 대상 수상작에 5백만 엔이라는 파격적인 상금을 주겠다고 선언했고, 전 세계에 영화제를 적극 홍보했다.

내가 고베에 가게 된 이유는 1월에 열렸던 끌레르몽-페랑국제단편영화제Clermont-Ferrand International Short Film Festival에서 고베의 초대 집행위원장인 무토 기이치를 만난 인연 때문이었다. 〈호모 비디오쿠스Homo Videocus〉(1991)를 본 기이치 위원장이 한국 독립영화의 수준이 대단히 높다고 칭찬하면서, 독립영화 창작 후원회의 대표 운영위원을 맡고 있는 나를 고베로 초청한 것이다. 그 무럽 고베에 독립영화제를 창설하려고 하는 영화제 측으로부터 경쟁 작품 추천 의뢰를 받았고, 김성수 감독의 단편 〈비명도시Dead End〉(1993)를 적극 추천했다. 영화를 본 기이치 위원장은 경쟁부문에 〈비명도시〉를 초청했고, 그 영화에 취객으로 카메오 출연을 한 나는 감독과 함께 고베로 향했다.

돈의 위력은 정말로 놀라운 것이다. 41개국에서 633편이 고베로 몰려들었는데, 그중 미국 단편영화가 241편이고 서부 유럽국가들의 작품 수도 170편이나 됐다. 633편 중 본선 진출작 20편을 선정하기 위해 영화제 사무국 직원들은 4월 한 달 동안 밤샘작업을 계속했다고 한다.

오사카 공항에서 리무진 버스로 50분 정도 달리니 고베에 도착했다. 영화제나 영화 업무로 이미 일곱 차례나 일본을 방문했었지만, 고베는 처음이었기에 당연히 항구도시 고베에 대한 첫인상은 낯설다는 것이었다. 그 무렵 잘 모르는 사람들은 국제영화제를 두루 다니는 나를 행복한 남자라고 말했지만, 개인적으로는 경제적 어려움을 늘 겪고 있었기 때문에 고충이 여간 크지 않았다.

당시 심사위원은 모두 다섯 명이었다. 고베영화제 개막 2주 전 폐막한 칸 국제영화제에서 황금종려상의 영예를 안고 온 첸 카이거 감독이 심사위원장을 맡았는데, 그는 영화제 기간 내내 융숭한 대접과 갈채를 받았다. 〈토토의 천국Toto The Hero〉(1991)으로 칸 황금카메라상을 수상한 적이 있고 우리에게도 낯익은 자코 반 도마엘Jaco van Dormael 감독 역시 심사위원 중 한 명이었다. 토드 헤인즈Todd Haynes가 〈독약Poison〉(1991)을 만들 때 프로듀서로서의 일을 시작한 크리스틴 바숑Christine Vachon은 유일한 여성 심사위원이었다. 나머지 둘은 일본인으로 한 사람은 독립영화인 〈테츠오鐵男〉(1989) 시리즈로 잘 알려진 츠카모토 신야Tsukamoto Shinya 감독이고, 또 다른 한 사람은 평론가 오쿠보 겐이치였다. 화려한 영화인 경력과 독립영화에 대한 애정을 갖고 있는 심사위원들의 면모로 볼 때, 대체적으로 좋은 인선이라는 생각이 들었으나 일본 영화인이 두 명이나 포함된 것이 조금은 마음에 걸렸다.

고베영화제 최고 영예인 대상은 시노하라 테츠오Shinohara Tetsuo가 만든 〈풀 위에서의 작업Work on the Grass〉(1992)에 돌아갔다. 그러나 원래 한 작품에 주어질 예정이었던 심사위원 특별상을 모니카 펠리자리Monica Pellizzari의 〈단지 후식일뿐Just Desserts〉(1993)과 요코하마 겐지의 〈편지〉가 나누어 갖게 된 결과는 매우 유감스러운 일이었다. 일본 영화감독에게 수여하는 키네토스코프상Kinetoscope Award의 수상자가 없다는 발표 후에 나온 공동수상이었기 때문에 파문이 컸고, 경쟁 후보자들의 거센 반발이 있었다. 결과적으로 일본은 첫 번째 행사에서 가장 큰 두 개의 상을 독식한 셈이었다.

시상식이 끝나고 수상자들과 심사위원들이 함께 참석한 기자회견에서 심사위원들은 수상작들을 만장일치로 결정했으며 그에 대해 전혀 논란이 없었고 만족한다는 발표를 했지만, 많은 사람들이 심사결과에 대해 의문을 제기했다. 가장 큰 불만은 역시 일본영화가 큰 상을 독차지한 사실에 대한 것이었다.

〈그들도 우리처럼〉의 시나리오를 써서 영화적 재능을 이미 인정받은 김성수 감독의 〈비명도시〉는 경쟁작들 중 단연 스타일이 돋보였다. 스무 편의 영화 중에서 〈가사〉, 〈노래하는 수렵기념물〉, 〈비명도시〉가 가장 뛰어난 작품들이란 생각이었다. 일본의 저명한 평론가인 사토 타다오Tadao Sato 씨는 의심할 바

없이 〈비명도시〉가 최우수작이라고 칭찬하면서 장편영화를 만들면 김성수 감독을 꼭 후쿠오카영화제에 초청하겠다고 했다. 유럽에서 온 영화제 관계자들 역시 〈비명도시〉가 아무런 상도 받지 못한 것에 대해 매우 의아해했다.

호평에도 불구하고 빈손으로 돌아올 수밖에 없었던 김성수 감독은 얼마 후 고베 영화제로부터 편지를 받았다. 뉴욕에서 8주 동안 영화 교육을 받을 수 있는 비용을 제공하겠다는 것이었다.

그 무렵 국내에서도 국제영화제를 만들려는 움직임이 꾸준히 있었는데 김동호 현 강릉국제영화제 이사장이 강우석 씨(강우석 감독과는 다른 동명이인)의 요청으로 서울국제가족영화제를 창설하고자 했으나 결실을 보지 못했다. 또, 1980년대 신촌 '영화마당우리'에서 영화 교육과 전통문화 계승을 모토로 독립문화운동을 활발하게 전개했던 김기종 씨가 주축이 돼 임권택 감독 등 여러 영화전문인들과 함께 광주에서 국제영화제를 개최하려는 움직임이 있었으나 창설에는 이르지 못했다. (김기종 씨는 이후 극단주의에 빠져 주한미국대사 마크 리퍼트Mark Lippert를 돌발적으로 공격하는 극단적인 통일문화운동주의자로 변모해 우리를 충격에 빠뜨렸다.)

대상 수상작 상금 5백만 엔으로 큰 첫걸음을 떼었던 고베영화제는 안타깝게도 1995년 샌프란시스코와 고베시 전역을 강타한 대지진의 여파로 더이상 개최되지 못하는 비운을 맞이했다. 최근에 들어서야 작은 규모로나마 다시 열리고 있다.

2

예술영화 프로듀서로서의 길을 걷고자 했던 나는
어느 순간, 국제영화제에 대한 축적된 정보가 없을
뿐더러 국제영화산업과 해외 배급에 대한 경험이 너무
부족하다는 것을 새삼 깨달았다. 아무것도 가진 것이
없고 아무것도 준비되지 않았지만, 국제영화제를 메이
영화제 중심으로 두루 살펴봐야 한다는 생각을 품고,
용기를 내어 시네마 기행을 떠나기로 결심한다.
당시 한국영화 주요 유력지였던 월간《스크린》의 이연
편집장을 찾아가 해외 메이저 영화제를 중심으로 한
국제영화제 참관기를 연재로 쓰자는 기획안을 제안했
그때 나는 당시로서는 적지 않은 원고료를 지원해
달라고 했는데, 고맙게도 그녀가 흔쾌히 받아들여 나의
시네마기행을 시작할 수 있는 단초를 마련했다. 그리고
영화사 신씨네의 신철 대표가 그런 나의 계획을 적극
지원하겠다고 밝히며 여행경비의 일부를 지원해 주어
나의 시네마기행은 결실을 보게 된 것이다. 그리하여
1993년 1월 프리부르국제영화제를 시작으로 로테르담
베를린, 로카르노영화제를 가게 되었다.

먼 관찰자가 바라본 국제영화제
프리부르국제영화제
로테르담국제영화제
베를린국제영화제 1
로카르노영화제

시네마기행 1: 스케치

내게 1990년 이전의 로테르담국제영화제 시절을 이야기해 준 사람은 저예산 영화 제작의 귀재인 故 박철수 감독이다. 그는 한국의 어떤 감독이나 제작자도 유럽의 영화제에서 자신의 영화를 선보인다고 생각하지 못했던 시절인 1980년대, 〈니르바나의 종A Bell for Nirvana〉(1981)이 로테르담영화제에 초청돼 네덜란드를 방문했고, 그 영화제의 전설적 인물인 후버트 발스 씨가 서울을 방문했을 때에는 그를 자신의 차에 태워 서울을 둘러보게 했다는, 허장성세처럼 들릴 수도 있는 이야기를 내게 전했다. 다소 과장된 면도 있겠지만 그의 암스테르담 견문기와 후버트 발스 씨의 서울 유람기는 내게는 신선한 충격처럼 들렸다. 박철수 감독이야말로 국제영화제를 통해 자신의 작품에 공감하는 관객들을 넓히려고 했던 선각자임에 틀림이 없다.

먼 관찰자가 바라본 국제영화제

예술영화 프로듀서로서의 길을 걷고자 했던 나는 어느 순간, 국제영화제에 대한 축적된 정보가 없을뿐더러 국제영화산업과 해외 배급에 대한 경험이 너무 부족하다는 것을 새삼 깨달았다. 아무것도 가진 것이 없고 아무것도 준비되지 않았지만, 국제영화제를 메이저 영화제 중심으로 두루 살펴봐야 한다는 생각을 품고, 용기를 내어 시네마 기행을 떠나기로 결심한다.

당시 한국영화 주요 유력지였던 월간《스크린》의 이연호 편집장을 찾아가 해외 메이저 영화제를 중심으로 한 국제영화제 참관기를 연재로 쓰자는 기획안을 제안했다. 그때 나는 당시로서는 적지 않은 원고료를 지원해 달라고 했는데, 고맙게도 그녀가 흔쾌히 받아들여 시네마기행을 시작할 수 있는 단초를 마련했다. 그리고 영화사 신씨네의 신철 대표가 그런 나의 계획을 적극 지원하겠다고 밝히며 여행경비의 일부를 지원해 주어 나의 시네마기행은 결실을 보게 된 것이다. 그리하여 1993년 1월 프리부르국제영화제를 시작으로 로테르담, 베를린, 로카르노영화제를 가게 되었다.

프리부르국제영화제

Fribourg Film Festival

프리부르국제영화제
프랑스의 낭트삼대륙영화제와 함께 아시아,아프리카, 그리고 라틴 아메리카에 중점을 둔 영화제이다.

프리부르는 국제영화제를 잘 안다고 하는 사람에게조차 무척 생소한 지명이다. 제네바와 취리히 사이에 있는 프리부르는 (2018년 기준) 인구 3만 8천여 명의 자그마한 도시인데, 프랑스어를 사용하는 6개의 칸톤州 연합체인 스위스 로망드Suisse romande에 속한다. 1993년 세계영화제 기행을 프리부르부터 시작한 까닭은 그 영화제가 시기적으로 가장 빠르기 때문이기도 하지만, 그보다 더 중요한 이유는 이장호 감독의 회고전이 열리기 때문이었다.

낭트영화제와 마찬가지로 제3세계 영화에 대해서 집중적인 관심을 보이고 있는 프리부르영화제는 1980년 제3세계의 문화, 경제, 교육 등의 사업을 후원하는 헬베타스HELVETAS라는 단체가 제3세계의 영화를 시민들에게 비정기적으로 소개하는 것이 계기가 되어 출발했다고 한다. 제1회 행사는 여섯 편의 영화로 시작했는데 시민들에게 좋은 반응을 얻게 되자 점차 발전돼 격년제로 행사를 개최할 수 있었다. 지금처럼 극영화, 다큐멘터리, 단편영화, 회고전 그리고 경쟁부문(프리부르 시민상)이 확립된 것은 1992년부터였다.

올해로 36회를 맞이하는 프리부르영화제는 지금까지 내가 경험했던 국제영화제들 중 가장 작은 규모의 영화제일 것이다. 행사는 매년 약 35만 스위스 프랑(1억 9천만 원)의 예산이 소요되는데 재원은 외무부, 내무부, 프리부르 주정부, 프리부르 시정부, 영화제 지원협회, 그리고 개인 후원자들로부터 나온다. 여러 출처로부터 예산을 지원받는 까닭은 후원단체의 집중화 현상으로 인한 폐해, 즉 영화제의 성격이 변질될 수도 있는 위험성을 사전에 방지하기 위한 것이다. 이처럼 작은 규모의 예산으로도 국제적인 행사를 치를 수 있는 것은 저렴한 영화관 임대료 때문이라고 할 수 있다. 1월 17일부터 1월 24일까지의 영화제 기간 동안 모든 영화는 복합 영화관인 렉스Rex에서 상영됐는데, 1주일 동안의 임대료가 불과 3만 스위스 프랑이었다고 한다.

1993년 제7회 프리부르영화제는 경제불황과 보수화 경향으로 인해 유럽 각국에 일고 있는 백인 우월주의와 인종차별주의를 경계해야 하며 보다 더 겸허한 자세로 제3세계의 문화를 받아들이고 배울 필요가 있다고 역설한 폴 쥐뱅 조직위원장의 교훈적인 개막식 연설로 시작됐다. 아시아, 아프리카, 라틴 아메리카의 다양한 문화를 배우는 소중한 자리였지만, 아쉬운 점이 있다면 자막이 주로 프랑스어 또는 독일어로만 되어 있기 때문에 늘 세부적인 것은 파악하기 어렵다는 것이다.

이장호 감독 특별전은 프리부르영화제가 현재 활동중인 감독에게 경의를 표하는 첫 번째 행사이기 때문에 더욱 빛이 났다. 사실 〈바보선언Declaration Of Idiot〉(1983)과 〈나그네는 길에서도 쉬지 않는다A Wanderer Never Stops On The Road〉

(1987)와 같은 뛰어난 작품을 만들었고, 도쿄국제영화제에서 비평가상을 수상한 적이 있는 이장호 감독은 일본에서는 잘 알려져 있는 반면에 유럽에서는 거의 무명이었다.

1980년대 중반 페자로국제영화제에서 〈바보선언〉이 소개되었고, 1988년 베를린국제영화제 영포럼 부문(현 인터내셔널 포럼)에서 〈나그네는 길에서도 쉬지 않는다〉로 칼리가리상Caligari Film Award을 수상했음에도 유럽 영화인들 대부분은 그를 알지 못했다. 그 이유로는 유럽에서 한국영화에 대한 관심이 고조되기 전에 그가 소개되었다는 것과, 이장호 감독 스스로도 유럽보다는 일본에 관심을 더 집중시켰다는 점을 들 수 있을 것이다. 1992년 페자로영화제에서 이장호 감독의 영화들이 다시 소개되었고, 마침 영화제에 참가하고 있었던 트리곤 필름Trigon-Film 대표 마르샬 크나벨Martial Knaebel 씨가 깊은 관심을 보인 것이 계기가 되어 행사가 추진되었다.

크나벨 씨는 프리부르영화제 집행위원장일 뿐 아니라 앞서 언급한 트리곤 필름에서 외화 수입과 배급을 맡고 있었다. 트리곤 필름은 1989년 한국영화가 〈달마가 동쪽으로 간 까닭은?Why Has Bodhi-Dharma Left For The East?〉(1989)과 〈칠수와 만수Chil-su And Man-su〉(1988)로 로카르노영화제를 깜짝 놀라게 하며 한국에서 온 뉴시네마의 도래를 알릴 때 배용균 감독을 측면 지원하면서, 홍보를 전담하고 조언을 아끼지 않은 것으로 알려져 있다. 트리곤 필름은 〈씨받이The Surrogate Womb〉(1986)를 스위스 전역에 배급한 적이 있고, 특히 1990년에는 〈달마가 동쪽으로 간 까닭은?〉으로 스위스 박스오피스 순위 9위라는 대단한 실적을 올렸다.

규모는 작지만 제3세계 영화를 향한 크나큰 열린 마음을 갖고 있는 프리부르영화제에서의 이장호 특별전은 그렇게 만들어졌고, 큰 관심과 반향을 불러일으켰다. 〈바람불어 좋은 날〉(1980), 〈어둠의 자식들Children Of Darkness Part 1, Young-Ae The Songstress〉(1981), 〈바보선언〉, 〈과부춤〉(1983), 〈나그네는 길에서도 쉬지 않는다〉가 상영되었고 이장호 감독은 일주일 내내 인터뷰에 응하느라 매우 바쁘게 지냈다. 한동안 해외 반출이 금지되었던 〈어둠의 자식들〉과 〈과부춤〉은 유럽에 처음 소개된 것이고, 특히 〈어둠의 자식들〉은 관객들의 심금을 울렸다. 〈바보선언〉이 끝난 후 많은 관객들은 나를 이장호 감독으로 오인하고 존경을 표시하면서 악수를 청하거나 대단한 작품이란 말을 연발했다.

영화제가 거의 끝나갈 때 크나벨 위원장과의 인터뷰에서 그는 행사 기간 동안 보여준 영화진흥공사의 전격적인 협조에 감사한다는 말을 전했으나, 내 눈에는 더 이상 제3세계 영화나 주변부 영화Maginal Cinema에 속하지도 않고 속할 수도 없는 한국영화가 여전히 완전한 주류 영역으로는 평가받지 못할 수밖에 없는 문제점 몇 가지가 보였다. 프랑스어만을 구사하는 스위스 로망드 지역에 독일어 자막으로 된 프린트를 보내는 우를 범했는데 그 결과, 〈나그네는 길에서도 쉬지 않는다〉의 경우는 유감스럽게도 관객이 매우 적었다. 또 〈나그네는 길에서도 쉬지 않는다〉를 제외한 나머지 영화들은 포스터조차 없어 부득이 스틸을 붙일 수밖에 없었는데, 영화관 다른 쪽에 부착된 에드워드 양 감독의 〈고령가 소년 살인 사건A Brighter Summer Day〉(1991)의 대형 포스터와 극명한 대조를 이루었다. 나중에 로테르담국제영화제에서 〈경마장 가는 길The Road To Race Track〉(1991)의 포스터를 보면서도 느낀 것이지만, 당시만 해도 국내 포스터는 해외 영화제 행사장에 걸 것이 못 됐다. 너무 초라하고 작고 보잘것없었다. 그 작은 포스터는 아마도 우리 영화에 대한 우리의 자기 경멸과 해외홍보에 대한 인식 부족을 단적으로 보여주는 것이었는지도 모른다.

프리부르에서 만난 사람들 중 1988년 로카르노영화제에서 〈대재앙 Catastrophe〉(1987)으로 은표범상을 수상한 인도의 자누 바루아 Jahnu Barua 감독과의 만남은 오래 기억될 것 같고, 해방 영화론으로 유명한 아르헨티나의 페르난도 비리 Fernando Birr 감독과 쿠바의 저명한 산티아고 알바레스 Santiago Alvarez 감독과의 만남은 정말 뜻밖이었다. 라틴 아메리카에서 온 이 두 노신사는 1980년대 초 한때 국내의 영화 학도들이 책으로만 접했던 사람들이 아닌가. 알바레스 감독은 스위스 순회강연 중 시간을 내서 들렀다고 했다.

로테르담국제영화제

International Film Festival Rotterdam

로테르담국제영화제
400여 편의 독립영화를 소개하는 세계 최대의 독립/대안 영화제이다. 로테르담국제영화제의 '시네마트'는 모든 영화제가 벤치마킹을 한 프로젝트 마켓의 모본이다.

암스테르담의 스히폴 공항에서 벨기에 방향으로 가는 기차를 타고 50분 정도 달려 로테르담 중앙역에 도착했다. 동상과 물의 도시로 잘 알려진 로테르담에 간 까닭은 한국영화로는 처음으로 박광수 감독의 네 번째 작품 〈그 섬에 가고 싶다To The Starry Island〉(1993)가 시네마트CineMart에 초대되어 프로젝트 설명회가 열리기 때문이었다. 그때만 해도 영화제에 대한 많은 정보가 없는 채로 찾은 나의 첫 로테르담이었는데, 영화제 본부가 있는 힐튼호텔 로비에 들어서자마자 수월하게 로테르담국제영화제의 분위기를 파악할 수 있었다.

입장권을 미리 사기 위해 줄을 서서 기다리고 있는 관객들의 머리 위에 걸려 있는 라울 루이스Raoul Ruiz 감독과 허우 샤오시엔Hou Hsiao hsien 감독의 사진, 그리고 그 옆의 그랜드카페 내부에는 피터 그리너웨이Peter Greenaway, 스티븐 프리어즈Stephen Frears, 오타르 이오셀리아니Otar Iosseliani 감독 등 로테르담영화제에 참가한 적이 있는 시네아스트들의 초대형 사진들이 눈에 들어왔다. 시네아스트들에게 남다른 경의를 표하는 영화제가 바로 로테르담영화제이다.

영어를 공용어로 사용하는 로테르담영화제는 전 세계에서 만들어진 새로운 영화들과 다채로운 학술행사 및 토론회를 준비해놓고 수백 명의 영화인들과 저널리스트를 맞이했는데, 중간에 떠나는 것이 아쉬울 정도로 볼 것과 들을 것이 많고 진지한 모범적 행사였다. 특히, 세르주 다네Serge Daney에 대한 강의, TV용 영화Cinema Made by Television, 자유의 한계Limits of Liberty 등과 같이 영화 상영과 강의 또는 논쟁적인 토론이 연결되는 프로그램은 인상적이었다.

1992년 6월, 48세의 나이로 사망한 세르주 다네는 앙드레 바쟁Andre Bazin 이후에 가장 중요한 영화 비평가로 평가된다. 다네는 1968년 5월 이후의 격변기에 《카이에 뒤 시네마》의 편집장을 역임했고, 《리베라시옹》을 통해 새로운 흐름의 영화비평을 소개하기도 했는데, 그의 독특한 스타일과 사유 방법은 롤랑 바르트Roland Barthes와 비교될 수 있는 높은 수준의 것이었다.

로테르담국제영화제를 무엇보다도 돋보이게 하는 것은 역시 프로젝트 마켓인 시네마트와 제3세계 영화제작을 후원하기 위해 조성한 후버트발스기금Hubert Bals Fund이다. 시네마트와 HBF는 영화작가의 작업을 고무하고 직접적으로 돕기 위한 것이다. 1991년에 시작된 시네마트는 영화작가, 프로듀서, 독립배급업자, TV 방송제작사가 모여 자신들의 작업에 대해서 함께 논의하고 구체적인 공동제작 가능성을 타진하는 자리로, 새로운 영화 프로젝트와 재원이 만날 수 있는 기회를 제공하고 있었다.

〈그 섬에 가고싶다〉는 피터 그리너웨이, 티엔 주앙주앙Tian Zhuang Zhuang 田壯壯의 프로젝트 등과 함께 시네마트에 당당히 한 자리를 차지했다. 행사에 초

베를린영화제에서 만난 박철수 감독과 명계남 대표

대된 박광수 감독과 프로듀서로 참가한 박기용 감독(현 영화진흥위원회 위원장)은 영화 한 편을 제대로 볼 수 없을 정도로 많은 사람들을 만나면서 매우 바쁘게 뛰어다녔다.

영화예술의 발전을 위해 최선을 다하고 있는 큰 규모의 영화제였는데, 단지 비경쟁이라는 이유만으로 한국에서는 〈경마장 가는 길〉 단 한 편만이 선정됐다는 사실이 아쉬웠고, 한국 영화행정가들의 적극적인 태도 변화가 필요하다고 생각했다.

내게 1990년 이전의 로테르담영화제 시절을 이야기해 준 사람은 저예산 영화 제작의 귀재인 故 박철수 감독이다. 그는 한국의 어떤 감독이나 제작자

선댄스영화제 주 상영관 이집션 씨어터에서 만난 서정 배우, 김동호 이사장, 심지호 배우, 박철수 감독, 미로비전 채희승 대표(좌측부터 순서대로)

도 유럽의 영화제에서 자신의 영화를 선보인다고 생각하지 못했던 시절인 1980년대, 〈니르바나의 종A Bell for Nirvana〉(1981)이 로테르담영화제에 초청돼 네덜란드를 방문했고, 그 영화제의 전설적 인물인 후버트 발스 씨가 서울을 방문했을 때에는 그를 자신의 차에 태워 서울을 둘러보게 했다는, 허장성세처럼 들릴 수도 있는 이야기를 내게 전했다. 다소 과장된 면도 있겠지만 그의 암스테르담 견문기와 후버트 발스 씨의 서울 유람기는 내게는 신선한 충격처럼 들렸다. 박철수 감독이야말로 국제영화제를 통해 자신의 작품에 공감하는 관객들을 넓히려고 했던 선각자임에 틀림이 없다.

박철수 감독과의 만남은 국내에서는 거의 드물었고 대부분 선댄스영화제,

베를린국제영화제 등 해외에서 주로 이루어졌다. 그는 〈삼공일 삼공이Three-Oh-One, Three-Oh-Two〉(1995), 〈학생부군신위Farewell My Darling〉(1996)를 완성한 후 2년 연속 선댄스영화제에 초대된 한국 최초의 감독이자 지금까지 그 영화제에 가장 많이 초청된 한국 감독이었다.

2005년 〈녹색의자Green Chair〉(2003)가 선댄스영화제에 초대됐을 때, 나는 인더스트리 상영관으로 활용되는 예로우Yarrow 호텔에서 그를 만났다. 눈이 녹아 물이 질펀한 거리에서 "선댄스영화제에 네 번이나 초대되는 것이 얼마나 대단한 것인지 한국 영화계에 좀 전해달라"고 하면서 껄껄 웃으시던 박 감독님이 가끔씩 생각이 난다.

로테르담영화제는 메이저 영화제로서 외국의 영화제 전문인력을 집행위원장으로 위촉하기도 하는 개방적인 분위기의 영화제다. 대표적으로 친한 인사인 영국인 사이먼 필드Simon Field 집행위원장이 있다. 칸의 크리스티앙 죈Christian Jeune 영화부문 위원장도 로테르담영화제 집행위원장직 제안을 받은 적이 있으나 "칸을 지키겠다"며 응하지 않은 바가 있다. 2021년에는 새 집행위원장으로 사라예보국제영화제Sarajevo Film Festival, 레자르크유럽영화제Les Arcs European Film Festival 등을 거친 후 무비MUBI에서 구매 책임자로 활동했던 영화산업 전문가 바냐 칼루제르치치Vanja Kaluđerčić가 위촉됐다. 이로써 로테르담영화제는 마리안 판 데르 하르Marjan van der Haar 운영위원장과 함께 강력한 여성 지도부를 구축하고 앞으로 독립영화와 영화산업을 연결하는 사업을 활발하게 전개할 것으로 예상된다. 2021년 강릉국제영화제 강릉포럼의 키노트 스피커였던 칼루제르치치 위원장은 50회를 맞는 2021년부터 현재 로테르담영화제를 지휘해 오고 있다.

베를린국제영화제 1

Berlin International Film Festival, Berlinale1

베를린국제영화제
영화제의 인프라스트럭처가 가장 우수하고 가장 많은 관객을 확보하고 있는 정상급 영화제이다.

베를린으로 향하기 전, 나는 끌레르몽-페랑국제단편영화제에 참가했고, 영화제가 끝난 후 스위스 바젤로 향했다. 독일의 남부 국경에 인접해 있는 바젤은 임안자 선생이 계신 곳으로 유럽 영화제에 참석했던 몇몇 영화인들에게는 그다지 낯선 곳이 아니다. 베를린영화제가 시작되기 전까지 나는 바젤에 머무르면서 긴 여행으로 인한 여독도 풀고, 즉흥적인 피아노 연주를 함께 즐길 수 있는 무성영화 〈프라하에서 온 대학생The Student of Prague〉(1913)을 다시 한 번 보기 위해 시네마테크를 찾기도 했다. 임안자 선생과는 한국영화를 해외에 효과적으로 알리는 방안에 대해서 오랫동안 논의했고, 스위스의 영화평론가와 예술영화관 관계자들과는 이듬해 그들이 기획하고 있는 독일어권 국가들 즉 스위스, 오스트리아, 독일에서의 '한국영화걸작전'에 관해서 의견을 나누었다. 비교적 한가했던 바젤에서의 체류가 끝나고 나는 베를린으로 향하는 슈퍼세이버 야간열차에 몸을 실었다.

주중에서 가장 운임이 싼 수요일 밤 기차여서 그런지 침대칸과 편한 좌석은 전부 동이 났고 딱딱한 나무의자에서 새우잠을 자야만 하는 일반석만 남아 있었다. 나무의자에서 열두 시간을 버텨야 했는데 당시 요금도 170마르크나 되어, 가격이 별로 싼 편도 아니었다. 역 대합실 구내의자에 누워있는 듯한 느낌을 주는 객차 내에서 잠이 올 리가 없었다. 소지품에도 주의를 기울이면서 이대로 12시간을 가야 한다. 별안간 알프레드 히치콕Alfred Hitchcock 감독의 〈열차안의 이방인들Strangers On A Train〉(1951)과 〈귀부인 사라지다The Lady Vanishes〉(1938)가 생각났다. 깜빡 잠이 들었는데 눈을 뜨니 기차는 베를린 중앙역에 들어서고 있었고, 영화제 본부가 있는 부다페스터 가Budapester Strasse까지 택시를 타고 갈 수밖에 없었다. 영화제 첫날 오전은 그렇게 바쁘게 시작되었다. 무거운 짐을 들고 여행객 안내소를 찾아가 싼 호텔을 구했고, 짐을 푼 후에는 프레스센터가 있는 문화회관 콘그레스할레Kongreshalle로 달려가서 프레스 배지를 발급받았다. 영화제 게스트로서 공식 초청받지 않는 경우, 프레스 배지를 신청해 받는 것이 영화 보기에 최선이다. 영화제 참가자 리스트에 등재된 한국 영화인은 나 혼자뿐이었다. 게스트가 아닌 참가자 신분으로 참석하는 메이저 영화제에서는 비용 지출이 많기 때문에 열심히 일해야 한다. 하루에 세 시간을 자고, 두 끼니만 먹으면서 다섯 작품씩 영화를 보는 강행군이었다. 저렴한 숙소는 바닥이 시멘트로 돼 있어 편한 잠을 자기에는 애초에 틀렸고, 짧은 수면 시간만 겨우 때우는 수도승과 같은 고행이 이어졌다. 숙소에서 아침으로 제공되던 브라운 색의 빵은 젊은이의 치아로도 거의 씹히지 않을 정도로 딱딱했고 버터조차 잘 발라지지 않아, 독일에서 먹는 빵이라고는 도저히 믿기 어려울 정도로 지금도 그 느낌이 생생하다. 새벽 두 시에 들어와 아침 일곱 시에 나가는 빡빡한 일정이 끝나고 숙소로 돌아가는 막차가 끊어지면 진눈깨비를 맞으면서 오전 한 시 반에 오는 심야버스를 기다리곤 했다. 그러한 고된 일정은 결과적으로 베를린국제영화제에 대한 거의 모든 것을 보고 듣는 데 매우 큰 힘이 되었다. 그때 감동적으로 본 작품 중 하나는 베르너 헤어초크Werner Herzog 감독이 쿠웨이트의 불타는 유정을 지옥의 그림처럼 묘사한 걸작, 〈어둠의 교훈Lessons of Darkness〉(1992)이다. 이 작품은 그 해 전 세계국제영화제를 돌며 가장 많이 상영되기도 했다.

1993년 2월 22일 저녁에 있었던 시상식에서 중국과 대만, 두 중국권의 영화가 대상인 황금곰상을 공동으로 수상했다. 중국 제4세대의 미덕인 장인다운 꼼꼼함과 시적인 영상이 돋보이는 시에 페이Xie Fei 감독의 〈영혼이 스며나오는 호수로부터 온 여인들Woman Sesame Oil Maker 香魂女〉(1993)과 대만 이 안Ang Lee 감독의 〈결혼 피로연The Wedding Banquet〉(1993)이었다. 당분간 세계영화계를 중국이 주도해 나갈 것임을 예고하는 순간이었다.

1984년 홍콩국제영화제에서 첸 카이거 감독이 〈황토지〉(1984)를 선보이면서 제5세대의 도래를 알린 지 10년 만에 중국영화는 국제영화제를 석권했다. 1993년은 같은 해 8월 중국 상하이에서 첫 번째 국제영화제가 개최되는 해이기도 했다.

시상식에서 그레고리 펙Gregory Peck과 빌리 와일더Billy Wilder가 차례로 무대에 오를 때 기립박수를 보내는 청중들과 함께 나도 박수를 쳤지만, 마음속으로 다른 생각을 했다. 우리는 왜 항상 이 모양인가. 베를린과 별 인연이 없는 북한에서도 작품 구매를 위해 조선인민민주주의국가영화 문헌고 직원 두 명을 파견했는데, 우리는 당시 어떤 작품도 초대받지 못했고, 심지어 영화제 측 참가자는 나 혼자뿐이라니, '한국영화는 언제 로컬시네마를 벗어날 것인가'라는 자조적인 독백을 할 수밖에 없었다.

베를린영화제 경쟁작들이 상영되는 쿠담Ku'damm의 초 팔라스트Zoo Palast 앞 상가에 지금은 사라진 '타이동臺東'과 '양쯔강揚子江' 이라는 두 중국 음식점이 있었다. 시상식이 끝나고 중국 시에 페이 감독을 위한 축하연은 상하이식 중국식당인 '양쯔강'에서, 대만의 이 안 감독의 축하연은 대만에서 온 여사장이 운영하는 '타이동'에서 열렸다. 중국과 대만 사이의 이념적 갈등이 여전히 지속되고 있는 것 같은 느낌을 받았다. 동시에 이런 상황 속에서 한국영화가 설 자리는 없어 보였다.

가난과 배금주의로 무장된 제작자들과 싸우면서 1980년대부터 지금까지 좋은 영화를 만들어 온 한국의 몇몇 감독들을 생각하니 마음이 좋지 않았다. 나는 당시 베를린의 수상작에 비해 한국의 영화들이 결코 뒤떨어지지 않는다고 생각했다. 하지만 당시 꿈의 걸작을 만들지 않는 이상 베를린에서 작품과 관련된 상을 받는다는 것은 거의 불가능한 것처럼 보였다. 당시 유러피안필름마켓(EFM)의 바이어 명단에는 하명중영화제작소, 모가드코리아, 그리고 오픈시네마의 주소가 등재돼 있는 것을 제외하고는 베를린 어디에서도 한국영화의 흔적을 찾아볼 수가 없었다.

낙담한 나를 위로한 베를린에서의 커다란 기쁨이 있었으니, 내가 좋아하는 두샨 마카베예프Dušan Makavejev 감독을 직접 만난 것이다. 이미 유럽의 여러 영화제에서 거인의 위치를 확보한 감독은, 허구와 다큐멘터리 쇼트들과 1948년에 만들어진 소련 극영화의 클립들이 다양한 방법으로 합쳐진 〈정오에 목욕하는 고릴라Gorilla Bathes at Noon〉(1993)를 가지고 베를린에 왔다. 로테르담에서 기조연설을 했고, 베를린 기자회견장에서 지칠 줄 모르는 열정을 보여주었던 이 대가를 베를린을 떠나는 날, 테겔 공항에서 우연히 다시 만났다. 나는 그에게 서명을 부탁했고, 그는 미소를 지으며 내 이름을 기억하겠다고 했다. 〈정오에 목욕하는 고릴라〉라는 제목은 감독이 1960년대 말 베를린에 왔을 때, 초 팔라스트 근처에 있는 동물원의 고릴라들이 베를린의 날씨가 워낙 차기 때문에 정오에 목욕을 한다는 이야기를 듣고 착안한 것이라고 했다. 그 뜻은 결국 베를린은 고릴라가 살기에는 부적합한 도시란 의미다.

2001년에 세르비아필름센터의 밀로랍 부코비치 씨와 긴밀하게 연락하면서 두샨 마카베예프 감독을 부산에 초청하기 위해서 전력을 다했다. 부코비치 씨와 내가 파리에 있는 그에게 번갈아 가면서 전화를 걸어 부산국제영화제에 대해 소개하며 초청 의사를 밝히고 부산에 모셔오기 위해 전력을 다했다. 하지만 9·11 사건의 여파로 비행기 탑승에 대한 두려움을 갖게 된 그는 결코 오지 못했다. 결과적으로 나는 그의 대표작 〈WR 유기체의 신비W.R.: Mysteries Of The Organism〉(1971), 〈스위트 무비Sweet Movie〉(1974), 〈남자는 새가 아니다Man Is Not A Bird〉(1965)를 감독 없이 상영할 수밖에 없었다.

개인적으로 좋아했던 동유럽 감독들 중 한 명으로 1991년에 내가 편역한 『가치의 전복자들』에도 소개된 두샨 마카베예프 감독은 한국과의 인연을 맺지 못하고 안타깝게도 2019년 1월 세르비아 베오그라드에서 타계했다.

로카르노영화제

Locarno Film Festival

로카르노영화제
배용균 감독과 홍상수 감독이 최고의 영예인 황금표범상을 수상함으로써 우리에게 더욱 친근감을 주는 오랜 역사의 경쟁영화제이다. 세계 최대의 야외 상영장은 영화제의 명물이다.

서울을 떠난 지 무려 30시간이 넘어서 비로소 로카르노에 도착했다. 서울-취리히-로카르노의 여정을 포기하고 비행기와 기차를 여러 번 갈아타야 하는 서울-홍콩-파리-바젤-벨린조나-로카르노 노선을 택한 이유는 순전히 50만 원이라는 적지 않은 돈을 아끼기 위해서였다.

로카르노에 도착하니 해는 저물고 심신은 극도로 피로한 상태였지만, 내가 이용할 수 있는 방은 없었다. 어쩔 수 없이 4성급 호텔에 들어섰는데 의외로 호수 쪽을 등지고 거리를 향하고 있는street view 싱글룸을 비교적 싼 값에 구할 수 있었다. 방에 들어서자마자 앞으로 열흘 동안 머물 저렴한 호텔을 찾기 위해 바쁘게 전화를 걸어봤지만, 모든 것이 허사였다. 왜냐하면 많은 사람들이 오고 싶어하는 로카르노는 거의 모든 호텔 예약이 이미 오래전에 끝난 상황이었기 때문이다.

다음날 아침 프레스 배지를 받은 후에도 여전히 나는 로만 폴란스키Roman

Polanski 감독의 〈테넌트The Tenant〉(1976)의 주인공처럼 방을 찾고 있었는데, 결국 로카르노 인근의 아스코나Ascona 낮은 언덕에 있는 펜션을 겨우 구해 정착했다. 영화제 본부와 시네마렉스Rex Cinema, 쿠르잘극장Teatro Kursaal, 그리고 야외 상영장인 대광장Piazza Grande 까지는 모두 도보로 이동이 가능했다.

그런데 문제는 마지막 영화를 보고 집에 돌아갈 때였다. 막차가 끊어지면 새벽 한 시에 걸어가야 하는데, 걷는 것은 어렵지 않으나 중도에 공동묘지가 있어 이 곳을 반드시 지나가야만 했다. 두세 번이던가 공동묘지를 지나쳐 걸어가는데 공포영화의 장면들이 자꾸 떠올라, 여유를 갖기 위해 휘파람을 불면서 지나갔다. 만약 주위에 사람들이 있었다면 나의 휘파람 소리가 더 기괴했을 수도 있다. 어쨌거나 밤마다 공동묘지를 지나가는 것은 고역이었고, 아침 일찍 나가서 새벽에 들어오는 로카르노에서의 내 생활은 마치 영화 순례자 같은 삶이었다.

1946년 창설된 이래, 이름만 들으면 금방 알 수 있는 르네 클레르Rene Clair, 로베르토 로셀리니Roberto Rossellini, 존 포드John Ford, 스탠리 큐브릭Stanley Kubrick, 이치가와 곤Ichikawa Kon, 밀로스 포만Milos Forman, 글로베르 로샤Glauber Rocha, 알랭 타네르Alain Tanner, 마이크 리Mike Leigh, 크지쉬토프 자누쉬Krzysztof Zanussi, 이스트반 자보István Szabó, 짐 자무쉬Jim Jarmusch, 테렌스 데이비스Terence Davies, 배용균, 클라라 로Clara Law 등 수많은 황금표범상 수상자들을 배출한 로카르노영화제가 올해는 어떤 시네아스트에게 영예를 선사할 것인가가 나의 주된 관심사였다.

제46회 로카르노영화제는 22편의 영화가 출품된 경쟁부문과 비경쟁부문으로 야외상영회, 특별전, '영화에 대한 영화', '스위스 영화 1993', '사샤 기트리Sacha Guitry 회고전', '발레리오 주를리니Valerio Zurlini 회고전', 단편영화 프로그램인 '미래의 표범들', '비평가주간'을 마련해서 각국에서 온 영화인과 비평가, 그리고 저널리스트를 맞이했다.

경쟁부문 심사위원은 프랑스의 올리비에 아사야스Olivier Assayas 감독, 미국의 캐서린 비글로우Kathryn Ann Bigelow 감독, 이탈리아의 배우 발레리아 골리노Valeria Golino, 독일의 에드가 라이츠Edgar Reitz 감독, 그리고 중국의 닝 잉Ning Ying 감독 등 8명으로 구성되었는데, 서른넷의 제5세대 여성 감독 닝 잉이 포함되어 있다는 사실은 당시 유럽에 일기 시작한 중국영화의 붐을 단적으로 설명해준다.

영화제 기간 동안 물류창고를 개조한 임시 상영관 페비Fevi에서 매일 두 편씩, 그리고 마지막 이틀 동안은 하루에 세 편씩 경쟁부문 작품들이 상영됐는데, 냉방시설을 갖춘 상영관과 카페가 거의 전무한 로카르노에서의 폭염은 견디기 어려울 정도였고, 영화를 열심히 보는 나에게 큰 어려움을 주기도 했다.

더위를 피하기 위해 영화가 시작되기 전까지는 움직임을 최소화하면서 상영관 앞 잔디밭에서 기다리곤 했다. 많은 관객들 중 아시아인은 나와 다른 한 여성뿐이었는데, 알고 보니 하야시 가나코Hayashi Kanako 씨였다. 그녀도 아마 비슷한 시선으로 나를 봤을 것 같다. '저 사람은 어디에서 왔을까. 일본은 아닌 것 같고, 중국일까, 한국에서 왔을까?' 하면서 말이다. 그녀는 그때 전 세계 유수 영화제에 일본의 신작을 소개하는 역할을 하는 일본 가와키타필름인스티튜트Kawakita Memorial Film Institute의 페스티벌 코디네이터로서 참가했다. 페스티벌 코디네이터가 그 역할을 맡으면서 아시아와 유럽, 북미까지 많은 영화제에 초대받아 참석하게 되니, 이는 곧 영화제 전문가로 성장하는 길이 될 수밖에 없다는 생각이 든다. 1996년 부산국제영화제가 창설되고 나서 하야시 가나코 씨는 내가 부산에서 일하는 제이 전Jay Jeon이라는 사실을 알게 되었다. 서로 잘 아는 사이가 됐을 때 그녀가 "부산영화제는 창설 삼 년여 전부터 전 세계 유수 영화제를 다니면서 주도면밀하게 준비를 했다. 어떻게 성공하지 않을 수가 있겠냐"며 찬사를 보냈다는 이야기를 전해 들었다. 나는 아무 대꾸 없이 속으로만 혼자 박장대소를 했다. 왜냐하면 당시 내가 로카르노영화제를 방문했던 것은 나의 '시네마기행'이었으며, 부산영화제 창설을 위한 것은 아니었다는 것을 굳이 밝히고 싶지 않았기 때문이다. 그녀의 그러한 판단과 찬사는 부산영화제에 아주 좋은 이야기였기에 부산영화제의 '신화'를 일부러 깨뜨릴 필요는 없다는 생각이었다. 하야시 가나코 씨는 이후 2000년에 출발한 도쿄필름엑스영화제Tokyo FILMeX Festival 창설에 참여하고 초대 집행위원장을 맡아 오랫동안 활동한다.

영화제 경쟁부문 작품들이 전반적으로 높은 수준을 보여주지 못해 아쉬웠는데, 이유는 영화제 마르코 뮐러Marco Mueller 집행위원장이 후보작들의 선정 기준으로 월드 프리미어 원칙을 지나치게 고수했기 때문이라고 했다. 마르코 뮐러 위원장의 야심적인 시도는 실패로 판명되었지만, 그것은 로카르노영화제가 퀄리티 페스티벌의 수준을 유지하기 위해서는 양보할 수 없는 조건이었을 것이다.

시상식에서 최고의 영예인 황금표범상은 명예 황금표범상 수상자인 여든한 살의 노익장 새뮤얼 풀러Samuel Fuller가 시상했다. 황금표범상은 모스크바 국립영화학교를 졸업하고 1982년도에 〈아름다운 애도〉라는 첫 작품을 만든 카자흐스탄의 에르멕 쉬나르바예프Yermek Shinarbayev 감독의 〈삼각수의 땅The Place on the Tricorne〉(1993)에 돌아갔다. 은표범상은 조지아의 디토 친차체Dito Tsintsadze 감독이 내전이 임박하고 있는 조지아의 상황을 안토니오니적인 지형 묘사의 방법으로 암울하게 그린 〈가장자리에서Zgvarze〉(1993)에 돌아갔다. 그때 맺은 인연으로 디토 친차체 감독은 2004년 부산국제영화제 뉴커런츠 부문 심사위원으로 참여하게 된다. 특별상은 장 위안Zhang Yuan 張元 감독의 〈북경녀석들Beijing Bastards〉(1993)이 받았다. 제6세대 기수이자 독립영화감독인 장 위안이 연출하고 중국 최고의 록 가수이자 작곡가인 추이 젠Cui Jian 崔健 (최 건)이 프로듀서를 맡고 직접 출연한 작품이다.

장 위안은 문화혁명을 겪지 못했지만 여전히 공산주의 교육을 받고 있는, 1970년대 초에 태어난 세대를 살펴보기 위해 〈북경녀석들〉을 만들었다고 했다. 전통적인 내러티브와 전형적인 플롯을 의도적으로 따르지 않는 〈북경녀석들〉은 목표를 상실한 듯한 현대 중국 젊은이들의 삶을 추적해간다.

로테르담국제영화제의 후버트발스기금과 프랑스 문화성의 지원을 받은 〈북경녀석들〉은 자금 부족과 중국 정부의 압력으로 촬영에만 12개월이 소요되었을 정도로 많은 어려움을 겪었다고 한다. 엄밀하게 말하자면 〈북경녀석들〉은 중국영화가 아니라 홍콩영화다. 장 위안 감독은 부산영화제가 창설되고 나서 2000년대 초까지 부산을 가장 자주 찾는 중국 감독이 됐다.

로카르노영화제만이 보여줄 수 있는 고유한 특성이자 최고의 매력은 역시 야외상영이라고 할 수 있다. 영화제 기간 동안 매일 밤 9시 30분에 피아체그란데에서 펼쳐지는 야외 상영을 한 마디로 말하자면, 걸작 그 자체이다. 초대형 스크린(23m×14m) 위에 수놓인 이미지들을 6천 5백 명의 관객들이 함께 보는 영화체험만큼 영화에 대한 꿈과 애정을 심어주는 방법은 없을 것이다.

소도시인 로카르노에 1971년부터 건설된 '시네마천국'이 있기 때문에 로카르노 시민들은 행복하다. 대광장에서는 우리 호텔의 직원도, 그리고 어제 저녁에 들렀던 식당의 웨이터도 쉽게 만날 수 있다.

베르나르도 베르톨루치Bernardo Bertolucci 감독의 〈순응자The Conformist〉(1970), 허우 샤오시엔 감독의 〈희몽인생The Puppetmaster〉(1993), 이 안 감독의 〈결혼 피로연〉(1993), 새뮤얼 풀러 감독의 〈40정의 총Forty Guns〉(1957) 등 13편의 영화가 대광장에서 상영되었는데, 켄 로치Ken Loach 감독의 〈레이닝 스톤Raining Stones〉(1993)이 끝났을 때는 정말 감동적이었다.

광장을 가득 메운 관객들은 노동자 계급의 사람들을 더할 나위 없이 따뜻한 시선으로 바라보고 있는 영화에 대해서 열광적인 기립박수로 경의를 표했다. 오래전에 잃어버린 듯한 한 편의 좋은 영화를 본 후의 말로 표현할 수 없는 행복한 느낌을 실로 오랜만에 이국땅에서 되찾는 순간이었다.

부산영화제의 수영만 요트 경기장에서의 야외상영은 로카르노영화제의 야외 상영장인 피아체그란데를 벤치마킹한 것이고, 실제로 조립형 대형 스크린을 전 세계로 운송하는 스위스 업체인 '시네렌트'와의 협업으로 구현된 것이다. 많은 예산이 소요되었지만 관객들에게는 크나큰 시각적 즐거움을 선사할 수 있었다. 로카르노영화제 참가 당시 야외상영의 경험이 이러한 벤치마킹을 가능하게 했던 것이다.

3

1996년 제1회 부산국제영화제를 성공적으로 끝내고 그 해 11월, 처음으로 그리스의 테살로니키국제영화제를 찾았다. 그리스는 내가 굉장히 좋아하는 세계적인 감독 테오 앙겔로풀로스Theo Angelopoulos의 나라이기도 하고, 또 테살로니키라는 도시는 그의 주 무대로, 그의 작품 속 배경으로 등장하기도 한다. 물론 테살로니키는 성서에 나올 정도로 유명하고 오래된 도시이기도 하다. 나는 테오 앙겔로풀로스 감독을 우리 영화제에 초청하겠다는 일념 하나로 참가했는데, 당시 테살로니키국제영화제는 불어에 능통한 미셸 데모푸로스Michalis Demopoulos 집행위원장이 이끌고 있었고, 토론토국제영화제 프로그래머를 겸하고 있던 디미트리 에이피데스Dimitri Eipides 씨가 공동위원장을 맡고 있었다.

테살로니키국제영화제
카를로비바리국제영화제
이스탄불국제영화제
에딘버러국제영화제
마르델플라타국제영화제
벤타나수르필름마켓
베니스국제영화제
베를린국제영화제 2
코로나19가 본격적으로 창궐하기 전 방문한 베를린

시네마기행 2 : 운영

영화제 운영가 관점에서 본 국제영화제

테살로니키국제영화제

Thessaloniki International Film Festival

테살로니키국제영화제
김태용 감독이 황금알렉산더상을 수상해서
국내에도 알려진 발칸반도에서 가장 큰 경쟁영화제이다.

1996년 제1회 부산국제영화제를 성공적으로 끝내고 그 해 11월, 처음으로 그리스의 테살로니키국제영화제를 찾았다. 그리스는 내가 굉장히 좋아하는 세계적인 감독 테오 앙겔로풀로스Theo Angelopoulos의 나라이기도 하고, 또 테살로니키라는 도시는 그의 주 무대로, 그의 작품 속 배경으로 등장하기도 한다. 물론 테살로니키는 성서에 나올 정도로 유명하고 오래된 도시이기도 하다. 나는 테오 앙겔로풀로스 감독을 우리 영화제에 초청하겠다는 일념 하나로 참가했는데, 당시 테살로니키영화제는 불어에 능통한 미셸 데모푸로스Michalis Demopoulos 집행위원장이 이끌고 있었고, 토론토국제영화제 프로그래머를 겸하고 있던 디미트리 에이피데스Dimitri Eipides 씨가 공동위원장을 맡고 있었다.

데모푸로스 위원장은 제1회 부산영화제에 참가했고, 부산이 끝나고 11월에 열리는 테살로니키영화제에 나도 초청을 받아 가게 되었다. 내가 그에게 배운 것은 국제영화제를 경영하는 데 프랑스 영화인들과 프랑스영화가 얼마나 중요한 역할을 하는 것인가였다. 불어에 능통하고 프랑스영화를 사랑하는 데모푸로스 위원장으로서는 칸국제영화제에 매년 참석해 테살로니키의 프로그램에 프랑스영화의 비중을 넓혀가면서 자연스럽게 터득한 것이겠지만, 영화제 입문자인 나에게는 단기간에 깨달을 수 없는 배움이었다. 국제영화제를 운영하고 영화 프로그래밍을 하는 데 프랑스 영화계와 칸영화제와의 관계가 매우 중요하다는 것을 일찌감치 깨우치게 해 준 것이다.

그때, 에이피데스 공동위원장은 나를 저녁 만찬에 초대해 주었고, 그리스 음식에 대해서 잘 몰랐던 내게 친절하게 음식 소개를 해 주며 무사카, 수블라키, 차지키를 우조 그리고 와인과 함께 권하였는데 그 저녁 식사 자리는 지금도 기억이 생생하다. 에이피데스 씨는 테살로니키영화제와 토론토영화제에서 오랫동안 프로그램 디렉터를 역임했고, 후에 몬트리올뉴시네마영화제

아리스토텔레스 광장에 위치하고 있는 테살로니키영화제의 메인 베뉴 올림피온극장

Festival du Nouveau Cinéma와 테살로니키국제다큐멘터리영화제Thessaloniki Documentary Festival를 창설하고 집행위원장을 맡는다. 그리스 영화제계의 거인이자 내가 처음 테살로니키를 찾았을 때 무척이나 반겨주었고, 개인적으로는 큰 형님 같았던 에이피데스 위원장은 2021년 1월 6일 영면했다.

1997년 두 번째로 찾은 테살로니키국제영화제에서는 그해 〈초록물고기 Green Fish〉(1997)로 경쟁부문에 초청된 이창동 감독과 배우이자 이스트필름의 대표인 명계남 씨를 우연히 만나게 된다. 두 사람은 시상식이 열리는 마지막 날까지 테살로니키에 머물렀고, 나도 부산영화제가 끝나고 다소 한가한 시기라 시상식에 함께 참가했다. 그러나 시상식에서의 결과는 그들의 예상과는 거리가 멀었다. 초저예산으로 만들어진 다른 모든 작품들조차 작은 상일지라도 수상으로 이어졌는데, 청룡영화상 최우수 작품상과 감독상을 포함한 네 개 부문, 백상예술대상에서 영화 작품상, 시나리오상, 남·여 최우수 연기상 등 국내에서 화려한 수상경력을 자랑했던 〈초록물고기〉는 어떤 상도 받지 못했던 것. 이창동 감독과 명계남 대표는 큰 충격을 받은 듯했다. 당연히 수상을 염두에 두고 영화제를 찾았는데 아무런 상도 받지 못했기 때문에, 더구나 아주 작은 영화도 수상하는 분위기여서 〈초록물고기〉도 당연히 상을 받을 수 있을 것으로 기대했기에 실망이 컸던 것이다.

두 사람의 앞으로의 예술영화 협업에 먹구름이 드리운 것 같은 무거운 분위기를 충분히 헤아릴 수 있는 가운데, 그들은 내게 수상 실패의 원인을 물었다. 두 분의 요청에 답을 하기 어려웠지만 어쩔 수 없이 솔직하게 내가 느낀 문제점을 이야기했다. 예술영화와 상업영화의 명확한 구분을 하기는 쉽지 않

〈박하사탕〉으로 카를로비바리영화제에서 심사위원 특별상을 수상한 이창동 감독과 명계남 대표

디미트리 에이피데스 위원장(좌) 미셸 데모푸로스 위원장(우)

지만 유럽의 대다수 영화제에서는 작품의 완성도가 뛰어나지 않아도 예술영화에 상을 준다는 점, 그리고 상업영화의 경우는 완성도가 높다고 하더라도 별 가치를 두지 않는 심사위원들이 많다는 점, 아마 그러한 요소들이 수상 결과에 영향을 주지 않았을까, 하고 나의 생각을 전했다. 〈초록물고기〉는 뛰어난 연기, 갱스터 영화의 관례를 충실히 재현한 점 등 물론 장점이 많은 영화이지만 명백히 상업적인 장르영화이기 때문에 심사위원들의 관심을 불러모으지 못했다는 것이 나의 생각이었다.

그때 이스트필름의 명계남 대표는 나에게 전혀 예상하지 못한 제안을 했다. 그것은 다름 아닌 공동제작자co-producer로서 해외 영화제에 작품을 출품하고, 해외 배급 업무를 전담하는 역할을 수락해 달라는 요청이었다. 당시 부산영화제에서의 나의 위치는 창설자이며 프로그래머이긴 했으나 상근직이 아니었고, 제대로 된 보수를 받지 못하고 있던 터라 공식적으로 겸직이 허용된 상황이었다. 며칠 후, 그의 요청을 흔쾌히 수락했고 기꺼이 나의 역할을 다하겠다고 했다. 그리하여 그 자리에서 이창동 감독의 〈박하사탕Peppermint Candy〉(1999)과 〈오아시스Oasis〉(2002)의 공동제작자가 되는 구두계약이 이루어졌다.

당시 경쟁영화제들 중 칸, 베를린, 베니스국제영화제는 A등급 영화제이고 로카르노, 산세바스티안, 카를로비바리국제영화제는 B등급이며, 테살로니키, 토리노국제영화제는 C등급으로 공인되고 있었다. 테살로니키영화제는 신인 감독들이 경합하는 대표적인 영화제로, 이탈리아의 토리노영화제와 함께 명성이 높았다. 2006년 김태용 감독은 〈가족의 탄생Family Ties〉(2006)으로 마침내 테살로니키영화제 대상인 골든알렉산더상Golden Alexander Award을 수상한다.

이창동 감독의 〈박하사탕〉(1999)은 제4회 부산영화제 개막작으로 선정됐고, 다음 해 베를린영화제 경쟁부문에는 초대되지 못했으나 카를로비바리영화제 경쟁부문에서 2등 상에 해당하는 심사위원특별상 외 세 개 부문을 수상하고, 그 다음 해 칸영화제 감독주간에서 상영되는 이례적인 영광을 누리게 된다.

〈박하사탕〉이 1999년 부산영화제 개막작으로 선정된 후 영화제의 개막식에서 실제 상영이 이루어지기까지 남들에게는 이야기할 수 없는 우여곡절이 있었다. 부산영화제 개최를 앞두고 부산에서 열심히 영화제 준비를 하고 있는 내게 어느 날, 명계남 대표로부터 전화가 걸려 왔다. 당시 이창동 감독과 명계남 대표는 〈박하사탕〉의 보충 촬영으로 여념이 없는 상황이었는데 급히 의논할 일이 있으니 서울로 오라는 호출이었다. 동트기 전 인적이 끊긴 남산 케이블카 탑승장 앞 주차장에서 만나자는 연락이었다. 불안한 생각이 머릿속에 스치는 가운데 약속장소에 나갔더니, 영화 속 야유회를 찍은 장소가 많이 바뀌어 재촬영에 문제가 있다는 것이었다. 야유회 장면들을 찍은 장소가 없어지고 공사가 계속 진행돼 다 갈아 엎어진 것이었다. 그리하여 개막식 전에 영화의 완성이 힘들다는 비관적인 것이었다. 이야기를 듣자마자 그것은 지나치게 완벽주의자적인 이창동 감독의 생각이며, 개막작 상영으로 이미 발표를 한 상황에서 다른 작품으로 대체하는 것은 불가능하니, 최대한 비슷한 장소를 찾아서 어떻게든 완성을 시켜야 한다고 했다. 우리가 인류학 다큐멘터리를 찍는 것은 아니지 않느냐며 예기치 않게 두 분을 설득해야 하는 상황이 되었다. 완성을 못 시켜 개막작 상영을 할 수 없게 된다면 국제적으로도 굉장히 신용이 떨어져 큰 문제에 봉착할 수도 있으니 어떻게든 완성시켜야 한다고 설득했다. 보름 정도의 시간이 남아있는 상황이었다. 처음 그 말을 듣고, 옆에 있던 자동판매기에서 평소 먹지 않는 탄산음료를 뽑아서 벌컥벌컥 들이켜며 "무슨 일이 있어도 꼭 개막식 전에 완성해야 한다"고 설득하고 또 설득했다. 결국 〈박하사탕〉은 최종 완성본이라고는 볼 수 없지만 영화제 개막식에 맞춰 프린트가 입고되었고, 부산영화제가 국제적 명성을 처음으로 얻는 개막작으로서의 역할을 톡톡히 수행했다. 또한, 그 작품은 국내외에 이창동 감독의 이름을 널리 알리는 작품이 되었다. 개막식에 참석한 많은 해외 영화제 집행위원장들과 프로그래머들이 앞다투어 초청했다.

〈박하사탕〉에 관심이 있었던 프랑스의 대표적인 세일즈 회사이자 멀티플렉스도 보유하고 있었던 유지씨인터내셔널UGC International이 최소 15만 불의 미니멈 개런티를 약속하고 칸에 함께 가자는 제안을 해, 작은 가방에 셔츠 한 벌과 세면도구만을 넣고 파리로 날아갔다. 유지씨인터내셔널을 방문해서 국제영화제 담당자, 부사장과 함께 협상을 이어갔다. 이메일 상으로는 무조건 수락하고 싶은 조건이었지만, 실제로 만나는 과정에서 그들은 내가 받아들이기 어려운 한 가지 조건을 제시했다. 그들의 관점에 따르면 〈박하사탕〉의 프롤로그와 에필로그 부분의 재편집이 필요했다. 서양 관객들의 관점에서 볼 때, 영화의 도입부와 후반부에 나오는 야유회 시퀀스들은 감독이 제공하는 영화 내용에 대한 정보가 너무 많고 길어서 설명적이라는 것이다.

만약 그것을 이창동 감독이 수락했다면 정말로 우리가 칸에 갈 수 있었을까? 그것은 장담할 수 없지만, 분명히 유럽의 더 많은 국가에서 상영할 수 있었을 것이다.

늘 많이 부족한 출장비로 프랑스에 날아가 싸구려 호텔에 묵었기에, 유지씨 인터내셔널 임원들이 내게 숙소가 어디냐고 물었을 때도 아는 사람의 집에 머물고 있다고 대답했다. 그래도 나는 아무 불만이 없었고, 프랑스에서의 그 거래를 꼭 성사시키고만 싶었다. 그러나 그들이 주장하고, 나도 부분적으로는 동의하는 재편집과 관련된 제안은 본질적으로 감독의 자존심과 창의적 영역에 연관된 문제였기 때문에 이창동 감독에게 말을 전달하기는 불가능했다.

결과적으로 칸에서 월드 프리미어를 하는 바람은 실현되지 못했지만, 그 다음 해인 2000년 제35회 칸영화제 감독주간에서는 상영할 수 있게 되었다. 타 영화제에서 상영된 후 칸에 초청되는 것은 매우 이례적인 일인데, 나와 가까웠던 마리피에르 마시아Marie-Pierre Macia 칸영화제 감독주간 디렉터의 배려 덕택에 가능했다.

〈오아시스〉(2002)는 베니스영화제에서 감독상을 수상했고, 2003년 칸영화제에서 국제영화비평가연맹 특별 선정작으로 상영되었다. 타 경쟁영화제 수상작이 칸에서 상영되는 것은 거의 불가능한 일이지만 지한파 프랑스 영화인들의 도움으로 가능했다. 특히, 유명한 스탠리 큐브릭 영역서인 『Kubrick』(1980)의 저자이자 프랑스 최고 평론가인 미셸 시망Michel Ciment 씨의 배려와 노력이 큰 역할을 했다. 미셸 시망을 우리에게 처음 소개해 준 사람은 '한국영화의 영원한 친구'인 피에르 리시엥Pierre Rissient 씨로 이창동 감독을 크게 도와줄 수 있는 많은 인사들을 소개해 주기도 한 고마운 분이다.

카를로비바리국제영화제

Karlovy Vary International Film Festival

카를로비바리국제영화제
동유럽에서 가장 권위있는 경쟁영화제로 두 경쟁부문과 회고전에서 동유럽 최고의 영화들과 영화인들을 만날 수 있다.

매년 6월 말에서 7월 초까지 열리는 카를로비바리국제영화제의 경쟁작이 주로 상영되는 극장은 테르말Thermal호텔 지하에 있는 벨키 잘Velký sál이다. 영화제의 메인 호텔은 영화 〈007 카지노 로얄Casino Royale〉(2006)의 주요 촬영 장소로도 유명한 푸프그랜드호텔Grand Hotel Pupp이다. 1990년대에는 체코공화국의 물가가 매우 싸서 5성 호텔인 푸프에서 맥주와 함께 식사를 해도 부담이 없어, 서구에서 온 주머니 사정이 넉넉하지 않은 영화제 게스트들이 호사를 누리곤 했다.

영화제의 또 다른 메인 호텔로는 테르말호텔이 있는데, 볼품없는 콘크리트 결정체처럼 생긴 건물로 공산주의 시절에 지어졌고, 소련 공산당의 여름 휴양지 역할을 하기도 한 호텔이다. 지금도 외형은 거의 리노베이션을 하지 않은 채 원형 그대로의 모습을 유지하고 있으며, 영화제 게스트와 참가자들이 가장 많이 머무는 호텔로 쓰이고 있다. 영화제의 심사위원을 위한 전용 호텔로는 푸프호텔 건너편의 엠버시호텔Hotel Embassy이 있다.

카를로비바리영화제는 에바 자올라로바Eva Zaoralova 씨가 오랫동안 예술감독을 맡았고, 율리에타 자하로바Julietta Zacharova 씨가 프로그래밍 디렉터로 활동했다. 카를로비바리영화제는 동유럽 영화의 종주국이라 할 수 있는 영화제다. 소련과 동유럽 영화의 융성기일 때 전성기를 맞아 명성이 최고조에 달했는데, 1991년 소비에트 연방이 무너지면서 소련뿐만 아니라 동유럽의 거의 모든 국가들이 경제적 위기로 혼돈의 시기를 맞이하게 된다. 이때, 카를로비바리영화제도 재정적인 어려움을 겪게 되는데, 이에 자하로바 디렉터가 한국영화를 포함한 아시아영화에 주목하면서 영화제에 새로운 활력을 불어넣었다.

그녀는 유럽과 아시아를 분주히 오가면서 영화제를 대표하는 인물로 활약했고, 모든 이들이 호감을 갖는 '원더걸' 같은 역할을 했다. 이 시기에 카를로비바리영화제와 부산국제영화제는 활발하게 교류를 하게 되고, 당시 한국을 대표하는 이창동, 김기덕, 홍상수 감독의 영화들이 모두 카를로비바리영화제에 자주 초대됐다. 영화제 경쟁부문에 한국영화가 초대되다 보니 자연스럽게 영화진흥위원회도 메이저 영화제에서만 개최하던 '한국영화의 밤' 행사를 푸프호텔에서 열게 되고, 자하로바 디렉터도 부산영화제를 매년 찾게 되었다. 월드 프로그래머를 맡고 있던 나도 체코공화국의 주목할 만한 신작들을 부산국제영화제에 월드 프리미어로 자주 소개하면서 두 영화제 사이에 교류가 활발하게 이루어졌고, 내가 주한체코대사관에서 체코 외무성이 주는 공로상인 훈장을 받게 된 것도 이러한 맥락에서 이루어진 것이다.

카를로비바리영화제는 내가 스테판Stefan이라는 동명의 세 영화제 운영자들

피터 반 뷰어렌 씨 댁 방문

Three Stefan festival organizers을 만난 곳이다. 스테판 라우딘Stefan Laudyn 현 바르샤바국제영화제Warsaw Film Festival 집행위원장, 스테판 키타노프Stefan Kitanov 현 소피아국제영화제Sofia International Film Festival 집행위원장, 스테판 울릭Stefan Ulrik 전 카를로비바리 인디펜던트 포럼Forum of Independent 프로그래머이다. 스테판 키타노프는 본인의 성이 일본의 영화감독 키타노 타케시Kitano Takeshi를 연상시킨다며 키타노 타게시와 사촌 관계라고 익살을 떨기도 했다. 그 세 명의 스테판은 모두 젊은 시절에 음악 밴드에서 활동할 정도로 기타 연주와 노래에 능한데, 그들이 모이면 즉흥적인 공연을 볼 수 있는 기회가 생기기도 했다. 카를로비바리영화제나 불가리아의 소피아영화제, 폴란드의 바르샤바영화제, 그리스의 테살로니키국제영화제 등에서는 세 사람이 모이면 꼭 '쓰리 스테판즈Three Stefans'의 기타 협연이 열리곤 했다. 나도 언젠가 부산에서 이 세 명을 심사위원 등의 역할을 부여해 모두 초대해서 쓰리 스테판즈의 콘서트를 실현해 보려고 했으나, 코로나19가 도래하면서 무산되고 말았다.

또 나의 시네마기행에서 빼놓을 수 없는 중요한 두 사람을 만났던 곳도 카를로비바리영화제이다. 그중 한 분은 내가 루이스 부뉴엘Luis Bunuel 감독과 견줄만한 블랙 유머를 가진 사람이라고 다소 과장되게 상찬을 했던 네덜란드의 영화평론가 피터 반 뷰어렌Peter van Bueren 씨다. 2020년 3월 췌장암으로 투병 끝에 결국 세상을 떠났는데, 돌아가시기 전 나는 암스테르담에 있는 그의

카를라 스토야코바(좌) 프로듀서와 율리에타 자하로바 예술감독(우)

집으로 두 번 찾아갔었다.

첫 번째 방문은 2016년 10월 9일이었다. 새벽에 일찍 일어나 암스테르담으로 가는 탈리스Thalys를 타기 위해 파리 북역으로 향했다. 4월 초 피터 반 뷰어렌 씨가 췌장암으로 여생이 얼마 남지 않았다는 소식을 전해듣고 그와의 약속을 지키기 위해 그의 집을 찾아갔다.

베를린국제영화제 직전 파리에서 칸국제영화제 집행위원장들을 만나기 위해 로테르담에서 탈리스로 파리까지 편도여행을 한 경험은 열 차례가 넘지만, 이때처럼 여정을 반대로 잡은 것은 처음이라 다소 생소했다. 더구나 왕복 기차 주행 시간만 7시간인 고된 당일여행이었다.

중앙역에 도착해서 반 뷰어렌 씨가 알려준 대로 택시를 타고 그의 집에 도착했다. 그는 나를 기다리고 있었고 반갑게 맞이해 주었다. 우리는 작은 부엌

아이인스티튜트

아이인스티튜트 실내홀

앞에 놓여 있는 식탁으로 옮겨 차를 마시면서 대화를 시작했다. 그의 어깨너머 벽에 걸려 있는, 그가 이창동 감독과 명계남 대표와 함께 찍은 사진이 눈에 들어왔다. 1997년 〈초록물고기〉를 가지고 테살로니키영화제 경쟁부문에 초대된 이창동 감독과 당시 이스트필름의 명계남 대표는 각각 다른 목적으로 온 나와 반 뷰어렌 씨를 그곳에서 만났고, 테살로니키에서의 인연이 지금까지 20년 넘게 영화 우정으로 이어지고 있는 것이다.

한때 할리우드를 호령했던 액션배우인 리 마빈Lee Marvin과 외모가 흡사한 반 뷰어렌 씨는 네덜란드의 유력일간지《폭스크란트》에서 30년 이상 영화전문기자로 활동하고 명예퇴직을 했다. 직선적인 성격과 과한 빈정거림이 적지 않은 적을 만들었지만, 지적이고 예술영화에 대한 평가를 하는 데에는 양보가 없는 사람이다.

화학치료를 중단했고 종양은 일시적으로 활동을 멈춘 잠복 상태이며, 매우 피곤해서 잠을 많이 잔다고 자신의 병세를 설명했다. 체중도 많이 줄고 힘이 떨어진 모습이었지만, 그는 머리카락도 잃지 않았고 자유롭게 거동하며 사고력도 온전해 내가 생각했던 것보다 훨씬 양호한 외양을 유지하고 있었다. 자신의 건강에 대한 얘기를 끝내자마자 그는 나에게 다양한 질문들, 즉 나의 거취 문제, 부산영화제의 미래, 대선에 관한 전망, 김정은의 망동, 한국축구에 대한 평가 등 지한파 기자 출신답게 다양한 관심사를 토론하고 싶어 했다.

전혀 예상치 못했던 놀라운 점은 그가 나에게 점심을 차려준 것이다. 당신이 가장 좋아하는 음식이 닭요리임에도 불구하고 나를 배려해서 연어 샌드위치와 크루아상, 그리고 생과일 주스 등 건강식으로 준비한 것이 아닌가.

사실 반 뷰어렌 씨와 나는 서로 선호하는 음식이 너무 달라, 다른 가까운 친구들에 비해서는 식사를 함께한 횟수가 적은 편이다. 나는 닭을 기피하고 그는 닭 요리를 가장 좋아한다. 식사를 할 때마다 언제나 악착같이 닭을 즐겨

먹던 그가 이제는 모든 음식을 조심하면서 신중하게 건강식을 선택해야 한다고 하니 왠지 서글퍼진다.

기차 출발 전까지 2시간의 여유가 있으니 아이인스티튜트Eye Institute를 둘러보고 가라고 반 뷰어렌 씨가 권하면서 일요일인데도 산드라 덴 하머Sandra Den Hamer 대표와 르네 볼프René Wolf 프로그래머에게 전화를 걸어 주었다. 반 뷰어렌 씨는 햇빛을 받으면서 걷는 게 건강에 좋다고 하면서 나와 트램 정거장까지 동행했다. 나는 일흔넷인 그가 좀 더 살 수 있기를 간절히 바랐다. 위로를 하러 갔다가 위로를 받고 돌아오는 짧은 암스테르담 여행이었다.

두 번째 방문은 2019년 2월이었다. 로테르담국제영화제에 오기 전 그를 다시 찾기로 약속했기 때문에 아침 일찍 호텔을 나섰다. 암스테르담행 기차 안에서 나는 그의 건강이 심하게 악화돼 거동도 불편하지 않을까, 걱정을 했다. 구글 맵을 참고해서 택한 경로대로 중앙역 앞에서 직행 트램을 타 예정된 시간보다 30분 빨리 도착했다.

우려와는 달리 그의 표정은 밝았고 청바지를 입은 활동적인 모습으로 점심을 준비하고 있었다. 반 뷰어렌 씨는 내가 식탁에 앉자마자 현재 병세에 대해 설명하기 시작했다. 화학요법chemotherapy으로 종양을 다스려 왔는데, 오랜 기간 움직임이 없다가 최근 다시 종양이 활성화돼 움직이기 시작했다는 것이다. 걱정스런 상황이지만 감성적으로 생각하는 걸 최대한 억제하고 이성적으로 생각하며 행동하는 게 치료에 좋다는 의사의 조언을 따르고 있다고 그는 덧붙였다. 반 뷰어렌 씨는 오히려 친한 인사답게 부산영화제와 한국 경제와 남북관계에 대해서 걱정을 해주고, 김동호 이사장 등 많은 사람들의 안부를 물었다. 또, 영화 전문가로서 나에게 네덜란드의 신작 영화 몇 편을 추천하고 황금살구예레반국제영화제The Golden Apricot Yerevan International Film Festival의 예술감독이 바뀐 사실을 전해주기도 했다. 그의 몸은 자택에 제한돼 있지만 그의 눈과 귀는 여전히 세계를 향해 열려 있었다. 3시간 동안의 유쾌한 대화가 끝나고 머지않아 다시 만나기로 약속을 한 후 우린 헤어졌다. 암스테르담역으로 가는 트램 안에서 불현듯 앞으로 반 뷰어렌 씨와의 대면이 어렵지 않을까 하는 생각이 들면서, 오래전에 본 줄리앙 뒤비비에르Julien Duvivier 감독의 〈무도회의 수첩Dance Of Life〉(1937)의 마지막 시퀀스가 떠올랐다.

2020년 3월 26일 그는 사랑하는 가족들을 남기고 영면했다. 코로나19는 우리가 그의 장례식에 참가하는 것조차 가로막았다.

카를로비바리에서 만난 잊지 못할 또 한 사람은 앨버트 밀그럼Al Milgrom 미니애폴리스국제영화제Minneapolis-Saint Paul International Film Festival 집행위원장이다.

우리에게 혹한의 겨울 날씨로 알려진 미국 미니애폴리스에서 필름소사이어티, 국제영화제 등을 창설하고 발전시키면서, 미네소타 주의 쌍둥이 도시 미니애폴리스와 세인트폴의 영화문화를 오랫동안 이끈 작은 거인 앨버트 밀그럼. 메이저 영화제 집행위원장의 화려한 모습과는 달리 그의 외양은 구부정한 어깨의 작은 체구로 늘 영화 자료로 가득 찬 크고 무거운 가방을 들고 다니는 모습이었지만, 그의 영화에 대한 열정만은 누구도 견줄 수 없는 영화제계의 작은 거인이었다. 미니애폴리스영화제는 아주 작은 영화제라서 상근직 직원이 두 명뿐이고, 해외 출장을 위한 예산도 없기 때문에 밀그럼 위원장은 1인 다역을 하면서 동분서주할 수밖에 없는 형편이었다.

그를 처음 만나고 마지막으로 본 곳은 모두 카를로비바리영화제이다. 왜냐하면 그 영화제가 그가 유일하게 출장을 오는 유럽의 영화제였기 때문이다. 1996년부터 10여 년 동안 그를 매년 한 번씩 만났다. 그는 손자뻘인 나를 늘 존대하며 한국영화와 세계 영화계의 흐름에 대한 내 의견을 묻고 경청하던 태생이 겸손한 사람이자, 내가 20대에 가지고 있던 하루에 12시간 이상 영화에 대해 생각하는 열정을 70대에도 견지하고 있는 놀라운 초인간이었다. 부산영화제의 초석을 놓는 시기에 나는 그를 통해 새로운 자극을 받았고, 다시 한번 나의 마음가짐을 바르게 하기도 했던 것이다.

카를로비바리영화제에 열 번 이상 참가한 동유럽영화 전문가들 사이에서 유명한 그의 어질고 선량한 성품을 말해주는 일화가 있다. 1980년대 어느 해, 4개 국어를 능숙하게 구사하며 한국어도 조금 할 수 있지만, 노동을 싫어하고 방랑을 즐기는 기질 때문에 카를로비바리와 로카르노영화제를 중심으로 전전하던 한 중년 남자가 카를로비바리영화제의 개막일에 도착했다. 그는 테르말호텔 로비에서 우연히 만난 밀그럼 위원장에게 영화제 초청팀의 행정착오로 방 배정이 잘못돼 잘 곳이 없다는 새빨간 거짓말을 늘어놓으면서 하룻밤만 신세를 지겠다고 부탁한다. 1980년대 중반에 한국에서도 일한 적이 있다고 주장하는 그는 이런저런 핑계를 대고 폐막식까지 참석했고, 그 다음 날이 돼서야 밀그럼 위원장의 방에서 나갔다고 한다. 어려움에 빠진 사람을 거절하지 못하는 밀그럼 위원장의 비단결 같은 마음씨Heart of gold를 보여주는 이 믿기 어려운 원조 '기생충' 같은 이야기는 두고두고 사람들 사이에서 회자되었다.

이스탄불국제영화제

Istanbul International Film Festival

이스탄불국제영화제 터키의 최초이자 가장 오래된 40년 역사의 경쟁영화제로 경쟁 부문 최고의 상은 골든 튤립상이다.

안탈리아골든오렌지필름페스티벌 매년 10월 말 터키 남부 해변 휴양지 안탈리아에서 열리는 경쟁영화제로 국제경쟁부문과 터키경쟁부문이 프로그램의 중심이다.

1997년 3월 이스탄불국제영화제로부터 숙박을 제공한다는 초청을 받고 출장계획을 세웠다. 이때 국제정세를 면밀하게 살펴보지 않고 여정을 택한 탓에 곤욕을 치르게 되었고, 이스라엘에 대해서 편견을 갖게 되는 상황이 발생했다. 이건 현재에도 교훈이 될 수 있는 이야기이다.

1980년대 초 대한항공에 입사해서 2년 동안 근무한 적이 있는 나는 이스탄불로 향하는 항공편을, 대한항공 직항편으로 인천에서 출발해 이스라엘 텔아비브Tel Aviv로, 텔아비브를 경유해서 터키 이스탄불로 향하는 여정으로 확정했다. 그런데 이스라엘의 시각에서 터키는 테러리스트를 비호하는 국가로 분류돼 있었고, 이스라엘을 거쳐 터키로 가는 항공편을 택한 나의 선택은 결과적으로 대혼란을 예고하고 있었다.

텔아비브의 벤구리온 공항에 도착해서 검색대 앞에 섰다. 내 앞에 있던 연로한 한국인 여성 성지순례단은 유럽의 여느 공항과 마찬가지로 별 문제 없이 통과했고, 나도 곧 형식적인 절차를 마치고 환승 통로로 가지 않을까 예상했는데 그것은 나의 착각이었다. 나의 여권을 보던 이스라엘 법무부 소속 직원은 이스탄불로 가는 목적과, 왜 텔아비브를 거쳐서 이스탄불로 가느냐고 물었다. 나는 주저 없이 가장 빠른 직항이 있어서 여기로 왔고, 이스탄불영화제에 가는 것이라며 영화제로부터 온 초청장도 보여 주었다. 그 직원은 뒤를 쳐다보더니 사람들을 부르는 신호를 했고, 젊은 두 명의 남녀 보안대원이 다가와 나를 다른 곳으로 데려갔다. 그들은 비슷한 질문을 되풀이했다. "왜 텔아비브를 거쳐 이스탄불로 가는지 설명해라", "이스탄불은 왜 가는 것인가", "텔아비브로 오는 대한항공 비행기 편에서 앞이나 뒤, 혹은 근처에 당신에게 접촉해 온 사람은 없었는가", "수상한 사람이 말을 걸지는 않았는가" 등의 질문을 내게 물어왔다. 질문의 대부분이 너무나 비현실적이어서 나는 신속하게 "그런 적 없다", "그런 일 없다" 같은 대답을 반복했다. 그러나 그들은 지치지 않고 계속 같은 질문을 했다. 지루한 질문이 반복되는 와중에 아마도 내가 조금 신경질적인 반응을 보였던 것 같다. 그들은 다시 뒤를 쳐다보더니 수신호를 보냈다. 나는 네 명의 보안대원들에게 둘러싸였다. 그리고 질문은 또박또박 처음부터 다시 시작됐다. 그들은 테러 방지 보안 메뉴얼의 모든 사항을 질문하겠다는 태세로 두 시간 반이 넘게 나를 몰아세웠다. 세 시간이 지나서야 그다지 크지도 않은 공항을 나올 수 있었는데, 이미 이스탄불로 가는 연결편도, 호텔로 가는 택시도 없는 한밤중이 되었다. 어쩔 수 없이 텔아비브 공항 인근에 하루 숙박이 가능한 호텔이 있어 급히 그리로 가게 되었다.

보안이라는 미명 하에 모든 것이 허용되는 이런 폭력적 상황에 대해서 어이없이 순응해야 한다는 것이 너무 황당했다. 이것이 중동의 현실이구나 라는 것을 처음으로 체험하는 순간이었다.

공항 근처 호텔과 연결되는 공항내 직통전화를 통해서 예약한 호텔로 찾아가, 새벽녘에 투숙을 하고 바로 잠에 빠져 들었다. 아침에 일찍 일어나 커튼 너머 텔아비브의 풍경을 느끼려고 창밖을 바라보았지만 별다른 감흥은 느껴지지 않았고, 하얀색이 돋보인다는 느낌뿐이었다. 간단히 아침을 먹으러 갔는데, 식당엔 사람이 거의 없었다. 택시를 타고 다시 공항으로 가려는데, 택시기사에게 목적지를 말하는 순간 또다시 똑같은 상황이 되풀이될지 모른다는 불안감이 엄습해 왔다. 9·11 테러가 발생하기 훨씬 전이었는데도 당시 텔아비브 상황은 9·11 이후 공항에 네 시간 전에 도착해 공항검색을 받아야 하는 상황과 비슷했다.

공항에 도착해 짐을 부치고 출국장으로 들어가기 직전까지 여행용 가방을 옆에 낀 채 단 한순간도 한눈을 팔지 않으면서 의자에 앉아 기다리다 출국장에 들어갔다. 또다시 검색대에서 어려움이 되풀이됐다. 질문의 내용만 조금 달라졌을 뿐 질문의 전반적인 유형이나 기본적으로 나를 테러리스트로 간주하고 있다는 점은 입국할 때와 대동소이했다. "짐을 직접 쌌느냐", "짐 안에는 무엇이 들어있느냐", "다른 사람에게 부탁받은 물건은 없는가", "네가 직접 싼 것은 확실하느냐", "다른 사람에게 물건 부탁을 받지 않은 게 확실한가" 등 반복되고 거듭되는 질문들이었다. "호텔에서 방 번호는 몇 번이었느냐", "창밖으로는 무엇이 보였는가", "취침은 몇 시에 했느냐", "식당에는 몇 시에 갔고 그 식당 밥을 먹고 있는 사람은 몇 명이었으며, 그 사람들의 인상착의를 말해

보아라" 등, 명분은 허위 진술인지 아닌지 판단하겠다는 것이었다.

시계를 보니 벌써 세 시간이 지나가고 있었고, 공항에 일찍 간 것이 천만다행이었다. 그들의 야만적이고 비논리적이며 상식에 어긋나는 질문들. 모든 것을 명확히 답변했음에도 불구하고 끊임없이 반복되는 질문 공세에 혀를 내두르면서 내심 다시는 이스라엘 땅을 밟지 않으리라 결심을 하고는 텔아비브를 벗어났다.

그때 내가 느꼈던 이스라엘에 대한 부정적인 이미지는 상당히 오랫동안 지속됐다. 십 년이 훨씬 지나 부산국제영화제에서 이스라엘특별전을 할 때 주한이스라엘대사관과 긴밀히 협조하면서 이스라엘이 보여준 효율성, 그리고 공무로 출장가는 사람들이 신분 고하에 관계없이 이코노미 클래스를 이용한다는 이스라엘의 장점을 알게 되면서, 이스라엘에 대한 나의 편견은 많이 완화되었다. 그럼에도 1997년에 경험한 이스라엘에서의 악몽은 평생 잊기 어려울 것 같다.

2018년 예루살렘국제영화제Jerusalem Film Festival 엘라드 사모르직Elad Samorzik 집행위원장이 부산영화제를 매우 중요한 영화제로 간주해 나를 패널로 초대했을 때도 내가 망설였던 것은 아마 1997년도 텔아비브 공항에서의 폭력적이라고밖에 느낄 수 없었던 그날의 악몽 때문이었을 것이다.

이스탄불영화제의 메인 호텔은 마르마라탁심Marmara Taksim호텔이었다. 탁심광장Taksim Square에서는 어딘가에 숨어있다가 아침에 상영관으로 향할 때면 나타나 돈을 달라고 하던 어린 소년에 대한 기억이 선명하다. 내가 재미있게 생각한 이유는, 젊었을 때 좋아했던 이탈리아 네오리얼리즘 영화에 나오는 가난하지만 밝은 개구쟁이 소년 같은 느낌을 받았기 때문이다. 나는 이 소년에게 5일 동안 계속 돈을 줬는데, 많은 금액은 아니었지만 그 소년에겐 적은 것도 아니었을 것이다.

테러가 빈발해서 그런 탓인지 상영관마다 보안검색이 심했다. 남녀 보안대원들이 차도르 차림의 여성들까지 손으로 일일이 검색할 정도로 테러에 대한 경계가 삼엄해, 극장에 들어갈 때마다 공포 분위기가 조성돼 영화제를 즐기기가 어려웠다.

이탈리아 네오리얼리즘 영화들을 연상시키는 광장의 소년들과 테러 분위기, 이런 혼재된 상황 속에서도 영화 배급사 포르티시모Fortissimo Films의 바우터 바렌드렉트Wouter Barendrecht 대표와 인연을 맺게 되는 계기가 있었다. 그것은 다름 아닌 그가 나와 다른 영화제 프로그래머를 수산시장으로 초대한 일이다. 이스탄불의 아주 풍성하고 싱싱한 해물 요리를 먹으면서 영화 이야기를 포함한 다양한 소재의 대화를 나눈 것이 추억으로 남는다.

바렌드렉트 씨는 부산영화제와 협조해 '부산프로모션플랜Pusan Promotion Plan'을 창설하는 데 크게 기여했다. PPP라는 네이밍을 한 사람도 바로 바렌드렉트 씨였다. 박광수 감독의 새 프로젝트를 로테르담영화제의 시네마트로 안내한 역할을 한 것도 바로 그였다. 왕성하게 활동했던 젊은 바우터 바렌드렉트 씨는 안타깝게도 2009년 방콕에서 심장마비로 사망해 많은 사람을 슬프게 했다.

천신만고 끝에 도착한 이스탄불영화제에서 가장 기뻤던 일은 영화제 참가자 중 피터 그리너웨이 감독이 부산영화제에 참석하기로 확정한, 보스포루스Bosporus 해협을 가로지르는 보트 크루즈 오찬이었다. 아시아와 유럽을 연결하는 보스포루스 해협 위 보트 크루즈에서의 점심을 영화제 측에서 게스트에게 제공했는데, 그를 만나기 위해 만사를 제치고 달려갔다. 그 자리에서 그리너웨이 감독과 많은 이야기를 나누지는 못했으나 선상 오찬에서의 만남이 동력이 되어 결국 2007년 피터 그리너웨이 감독의 부산영화제 방문이 성사된다. 그리너웨이 감독은 부산에서 기자들에게 해운대 해변가에 늘어서 있는 상영작의 빌보드를 예로 들면서, 주류 영화관객들의 관심을 덜 받고 있는 새로운 감독들의 영화나 예술영화 신작들을 적극적으로 홍보해주는 부산영화제를 높이 평가했다고 한다.

부산영화제의 경우, 2010년 이후보다 2010년 이전에 세계적인 영화인들이 훨씬 더 많이 내방했다는 사실에 우리는 주목할 필요가 있다. 잔느 모로, 테오 앙겔로풀로스 감독, 페르난도 솔라나스 감독, 압바스 키아로스타미 감독, 피터 그리너웨이 감독 등 적잖은 세계적인 영화인들이 부산영화제가 지금보다 훨씬 더 예산이 적고 규모도 작고 초라했을 때 오히려 더 많이 찾았다. 왜냐하면 세계적인 영화인들을 초대하는 데 예산이 전부가 아니기 때문이다. 예술가들의 바람과 의도를 정확히 알아야 하고, 그들이 어떤 영화제에서 자신의 신작을 소개하면서 무엇을 원하는지 정확히 간파해야 한다. 여기에 프로그래머의 열의와 열정이 합쳐져야 그것이 필요충분조건이 되어 초청이 성사되는 것이다.

그 후에도 부산영화제와 터키영화제작자협회를 비롯한 터키 영화 관련 기관이나 단체들의 자국의 신작 작품 추천이나 프로젝트 출품 등은 지속되었으나, 제안이나 계획이 일회성에 그치는 경우가 많아 보다 적극적이고 한 차원 높은 협업은 이루어지지 않았다.

안탈리아골든오렌지필름페스티벌 국제경쟁부문 심사위원 5인

베를린이나 칸에서 어려운 환경 속에서도 페스티벌온휠즈Festival on Wheels를 해 왔고, 나처럼 지속적으로 터키의 영화를 전 세계의 퀄리티 페스티벌에 소개하고자 노력해온 바샥 엠러Başak Emre와 아흐메드 보야시오글루Ahmet Boyacıoğlu 두 집행위원장을 만나 터키 영화에 대한 최신 정보를 들으면서 정보를 업데이트하는 것만이 내 유일한 즐거움이었다.

그러던 중, 22년 만에 터키를 두 번째로 방문하게 된다. 터키의 영화제와 인연이 다시 이어지게 된 것은 2019년 11월 터키 남부 항구도시에서 열린 안탈리아골든오렌지필름페스티벌Antalya Golden Orange Film Festival에 심사위원으로 참가하게 되면서였다. 이 영화제는 대종상처럼 오랜 역사를 갖고 있는 터키 국내 영화제였다가 국제영화제로 변화를 꾀한 역사를 가지고 있다. 안탈리아

골든오렌지필름페스티벌이 어려움에 처하게 되자 영화제 조직위원회는 페스티벌온휠즈 공동 집행위원장들이었던 바샤 엠러 씨를 예술감독으로, 그리고 아흐메드 보야시오글루 씨를 운영위원장으로 위촉했고, 나와 오랫동안 인연을 맺고 있던 두 사람은 나를 경쟁부문 심사위원으로 초청했다.

네덜란드의 배우 요안나 테르 스티게Johanna ter Steege 배우, 아이슬란드의 루나 루나르손Rúnar Runarsson 감독, 프랑스 아르테Arte의 레미 뷔라Rémi Burah 프로듀서, 폴란드의 에바 푸즈진스카Ewa Puszczynska 프로듀서와 함께 심사를 맡으며 즐거운 시간을 보냈다. 결과적으로 오다기리 죠Odagiri Joe 감독의 데뷔작 〈도이치 이야기They Say Nothing Stays the Same〉(2019)의 중요성을 다른 심사위원들에게 인식시키고 작품상을 받는 데 기여했다는 것에 보람을 느낀다. 부산영화제 집행위원장으로서 나의 소임을 다한 것 같은 생각이 들었다. 부산에 〈도이치 이야기〉를 초청하는 과정에서 이치야마 쇼조Shozo Ichiyama 프로듀서와 여러 차례 장문의 이메일을 주고받았다. 또 2019년 부산영화제 개막작 예를란 누르무캄베토프Yerlan Nurmukhambetov와 리사 타케바Lisa Takeba 감독의 〈말 도둑들. 시간의 길The Horse Thieves. Roads of Time〉(2019)의 프로듀서도 이치야마 쇼조 씨였다. 하야시 가나코 집행위원장과 함께 오랫동안 도쿄필름엑스영화제의 예술감독으로 영화제를 이끌었던 이치야마 쇼조 씨는 2021년 초 도쿄국제영화제 예술감독으로 위촉되어 활동하고 있다.

2017년부터 4년 동안 도쿄영화제를 이끌었던 타케오 히사마츠 집행위원장과 2004년부터 프로그래밍 위원장으로 활동해 온 요시 야타베Yoshi Yatabe 씨는 2021년 3월 말 영화제를 떠났다.

에딘버러국제영화제

Edinburgh International Film Festival

에딘버러국제영화제
75년 역사에 빛나는 영국에서 가장 오래된 비경쟁 독립영화 축제로 매년 6월 에딘버러에서 2주 동안 열린다.

에딘버러국제영화제를 방문했던 것은 2007년 8월로, 한나 맥길Hannah McGill 집행위원장이 영화제를 이끈 해였다. 2006년까지 카를로비바리국제영화제에서도 자주 얼굴을 본 적이 있는 쉐인 대니엘슨Shane Danielsen 씨가 예술감독을 맡았고, 한나 맥길 위원장의 취임 첫 해에 내가 가게 된 것이었다. 오랜 역사와 전통을 갖고 있는 에딘버러영화제는 영화제가 창설된 지 오래돼 관객이 많이 줄어든 상태이긴 하지만, 전 세계 영화제에서 초대된 다양한 독립영화들과 영미권 신작들과 화제작을 볼 수 있는 영화제다.

배정된 숙소인 힐튼호텔Hilton Edinburgh Carlton에 도착했는데 홀로 리셉션을 지키고 있는 붙임성이 좋은 리셉셔니스트는 방에 어떤 신문을 넣어줄까 하고 내게 물었다. 나는 가디언지를 넣어달라고 말했다. 신용카드 디파짓을 하며 기다리는 동안 리셉션 벽면에 붙어 있는 포스터와 신문 클리핑을 해 놓은 것을 보고 있었는데, 에딘버러의 아들인 영화배우 숀 코너리 경Sir Sean Connery의 에딘버러 방문 기사가 눈에 들어왔다. 곧이어 리셉셔니스트가 내게 오더니 에딘버러 근교 출신인 숀 코너리 경은 에딘버러영화제 때 자주 오는 편인데, 올 경우에 꼭 힐튼호텔에만 묵는다고 자랑을 늘어놓으며 숀 코너리 경이 이번에도 오실 거라 전망하며 너스레를 떨었다. 리셉셔니스트는 한술 더 떠서 사춘기 시절의 숀 코너리 경에 대한 믿기 어려운 일화를 전해 주었다. 숀 코너리 경은 10대, 20대 초반에 목동을 했는데 인근에 있는 여자들이 그를 보기 위해 모두 몰려와 고민이 된 숀 코너리 경은 마을의 나이 드신 현자를 찾아갔다는 것이다. 현자가 껄껄껄 웃으면서 "너는 즉시 런던으로 가거라. 런던에 가서 너에게 맞는 일을 찾아라. 네가 여기 계속 있다가는 네 명을 다 누리지 못하고 죽는다"라고 말했다며 묻지도 않은 이야기를 늘어놓았다.

방문을 열고 들어가 보니 내 생각보다 훨씬 넓은 방이 배정되었다. 커튼을 조금 열어보니 놀랍게도 에딘버러 성이 눈높이 위로 보이는 캐슬뷰를 자랑하는 방이었다. 집행위원장도 아닌 내게 이렇게 좋은 방을 배정하다니, 한국영화특별전을 맞이해 한국 영화인들과 나를 후대하고 있음을 느낄 수 있었다. 박찬욱 감독 부부도 영화제에 초대되었다는 이야기를 전해 들었다. 심사위원으로 가는 경우를 제외하고 이렇게 좋은 방을 배정받는 것은 드물다. 나중에 안 사실이지만 에딘버러의 아들이라고 불리는 숀 코너리 경도 같은 호텔에 묵고 있었다.

다음 날, 호텔의 화재 경보기 오작동으로 호텔의 모든 투숙객들이 갑자기 로비로 모이게 되는 상황이 발생했는데, 그때 나는 샤워를 하다가 경보기 벨이 울리는 소리를 들었다. 첫 번째 소리에는 반응하지 않았지만 두 번째 벨이

요란하게 울릴 때 흰색 샤워 가운을 입고 방문을 빼꼼히 열고 주위를 두리번거리는 행동을 취했다. 내 옆방의 이웃인 영국 할머니가 "너 지금 빨리 옷 입고 밑으로 가야 돼. 그러고 있을 때가 아냐"라는 게 아닌가. 정말 화재가 난 거냐고 물었더니, 할머니는 "너 빨리 나가야 돼"라고 말했다. 그래서 급히 옷을 갈아입고 아래로 내려갔다.

호텔 로비에 사람들이 양쪽에서 내려올 수 있는 둥그런 모양의 계단이 있었고, 수십 명의 투숙객들이 로비로 내려와 삼삼오오 모여서 웅성거리고 있었다. 갑자기 많은 사람들의 시선이 왼쪽 계단 상단을 향하면서, "와" 하는 함성이 들렸다. 그것은 다름 아닌 여러 편의 007 영화에서 보았던 제임스 본드가 파자마 위에 나이트가운을 입고 슬리퍼를 신은 채로, 보석함을 오른쪽 옆구리에 끼고 유유히 내려오는 모습이었다. 지금도 그 장면이 정확하게 기억이 난다. 탄성을 지른 사람들은 다 여성들이었다. 로비에 있는 모든 사람들이 그가 숀 코너리 경임을 알고 난 후 환호성은 더더욱 커졌다. 그 후 15분이나 20분이 지나고 나서야 인근 소방서의 소방서장이 우리 앞에 서서 상황을 설명했다. 힐튼호텔에서 최근 교체한 신형 화재경보기가 오작동을 자주 일으켜 지금 시험 중이고, 이런 테스트는 앞으로도 이틀 동안 두세 번 반복될 수 있는데 그때마다 이렇게 지금처럼 협조를 잘 해줬으면 한다고 부탁했다. 모든 사람들이 안도의 숨을 쉬고 시선은 모두 숀 코너리 경을 주시하면서 자기 방으로 돌아갔다.

나는 해외 출장을 갈 때마다 조식 식당이 문을 여는 오전 7시나 늦어도 7시 10분부터 아침 식사를 하는 얼리버드 타입인데, 그 다음날 아침부터 숀 코너리 경 부부가 일곱 시 조금 넘어 아침 식사를 하고 신문을 보며 한 시간 가량 식당에 머문다는 것을 알게 되었다. 그 시간대에는 아침 식사를 하는 사람이 많지 않았고 자연스럽게 매일 아침마다 두 부부의 테이블 가까이에서 아침 식사를 하며 '에딘버러의 아들'을 관찰하는 즐거운 시간을 가질 수 있었다.

그때 〈싸이보그지만 괜찮아I'm A Cyborg But That's OK〉(2006)로 에딘버러영화제에 초대된 박찬욱 감독 부부를 만났는데, 그들을 칸과 베를린국제영화제가 아닌 다른 장소에서 만난 것은 처음이었다. 이후 2016년 티에리 프레모 집행위원장의 초대로 프랑스 뤼미에르영화제를 찾았을 때, 박찬욱 감독 부부는 부산영화제 사태로 어려움을 겪고 있는 나를 위로하기 위해 저녁 식사에 초대했고, 우리는 네 시간 동안 그동안 쌓인 이야기를 나누면서 가슴 훈훈한 시간을 보냈다.

그러고 보면 나는 영국에서는 딱 두 개의 영화제에 참여해 본 것이다. 내가 관객으로 처음 참여했던 영국 런던국제영화제, 그리고 20년이 훌쩍 지나 참가한 에딘버러영화제가 그 전부이다.

마르델플라타국제영화제

Mar del Plata International Film Festival

마르델플라타국제영화제
국제제작자연맹이 공인한 라틴아메리카 유일의 A등급 경쟁영화제이다.

아르헨티나는 2000년대 초에 부에노스아이레스독립영화제Buenos Aires Film Festival로 방문한 적이 있고, 그로부터 몇 년이 지나 2007년 제22회 마르델플라타국제영화제에 경쟁부문 심사위원으로 초청을 받아 가게 되었다. 2006년도에 비즈니스 클래스 항공권을 제공한다는 조건에 초청을 받았으나 개인적인 사정으로 수락하지 못했는데, 다음 해 영화제 재정 사정이 어려워져 이코노미 항공권으로 가게 된 것이다.

마르델플라타로 가는 길은 그야말로 멀고 먼 길이었다. 처음 부에노스아이레스에 갈 때와는 조금 다르게 인천에서 프랑크푸르트를 거쳐 가는 여정을 택했는데, 문제는 엄청난 비행시간 후에 또 부에노스아이레스에서 차를 타고 네 시간 이상을 달려야 마르델플라타에 도착한다는 것이었다. 그야말로 험로였다. 그러나 부에노스아이레스에서 마르델플라타로 가는 길은 위험을 훨씬 덜 느꼈다. 공항에서 부에노스아이레스로 가는 길에 간간이 보이는 경찰관들은 예외 없이 전부 방탄조끼를 입고 있던 것과는 달리 마르델플라타로 가는 길에서는 무장한 경찰관들이 눈에 띄지 않아, 위험을 전혀 느끼지 못했다. 결과적으로는 잘 왔다는 생각이 들었다.

마르델플라타는 아르헨티나의 문화, 경제, 교통의 중심지로 해변가 휴양도시이다. 영화제의 메인 공간은 마르델플라타가 낳은 아르헨티나의 저명한 작곡가이자 반도네온 연주자인 아스토르 피아졸라Astor Piazzolla에게 경의를 표하기 위해 이름 붙여진 살라아스토르피아졸라Sala Astor Piazzolla인데, 그곳에서 개·폐막식이 열리고 경쟁부문 영화들이 상영된다. 그곳 벽면에는 알랭 들롱Alain Delon, 커크 더글러스Kirk Douglas, 토니 커티스Tony Curtis 같은 할리우드 대스타들이 영화제를 찾던 시절을 벽화로 그려놓았다. 남미의 유일한 A등급 경쟁영화제로 평가받았던 마르델플라타영화제의 황금시대를 말해주는 듯했다.

침체되고 있는 영화제에 활력을 불어넣고, 부산국제영화제와의 협력 및 아시아 영화를 적극적으로 소개하고자 하는 집행위원장이자 중견 감독인 미겔 페레이라Miguel Pereira 위원장의 의지가 반영되어 내가 초대된 것이다. 페레이라 위원장은 나를 매우 반겼고, 그의 친구이자 영화제 스폰서인 한 대부호 기업인의 자택에서 열리는 만찬에 초대해, 다른 심사위원들과 영화제의 주요 게스트들과 함께 동행했다. 저녁 만찬을 주최한 호스트는 여러 편의 영화 제작에도 참여한 바 있는 석유 재벌 호르헤 에스트라다 모라 회장이었다. 그의 대저택은, 입구에서 신분을 확인한 후 차로 이동해야 비로소 저택의 현관에 도착할 정도로 엄청난 규모의 플랜테이션에 딸린 저택이었다. 이십여 분 동안 정원에서 칵테일을 마시면서 삼삼오오 담소를 나누다가 저녁 식사가 시작되었는데, 유기농 풀만 먹고 자랐다는 아르헨티나산 쇠고기로 만든 스테이크가 주식으로 아르헨티나산 와인과 함께 제공되었다. 우리는 30여 명의 사람들이 한꺼번에 앉을 수 있는 거대한 나무 하나로 만들어진 긴 원목 테이블에 서로 마주 보고 앉았다. 저택의 한편에는 영화 〈아비정전Days Of Being Wild〉(1990)에 나오는 것 같은, 끝을 알 수 없는 정원이 펼쳐져 있었다. 저 끝엔 뭐가 있냐고 물었더니 그 끝에 가 본 사람은 아무도 없다는 답이 돌아왔다. 만찬에서의 내 자리는 저녁 만찬을 주최한 회장의 바로 옆자리였다. 내가 왜 그 회장의 옆자리에 앉았는지, 그의 질문을 통해서 곧 알 수 있었다. 그는 오래전에 큰 선박을 사기 위해서 울산을 방문한 적이 있다며 내게 말을 걸었다. 회장이 이 질문을 하면서 '울산'이라는 발음을 꽤 정확하게 구사한 것이 인상적이었다. 나는 부산이 울산과 아주 가까이 위치하고 있다는 이야기를 해줬고, 앞으로도 계속 마르델플라타영화제를 지속적으로 후원해달라고 그에게 부탁했다. 몇 년 전 모라 회장이 타계했다는 소식을, 최근 미겔 페레이라 위원장으로부터 전해 들었다.

마르델플라타영화제에서 조직위원장이 기획한 관객들과 게스트들을 위한 이벤트에는 유난히 탱고 위주의 공연이 많았다. 거의 의무적으로 관람을 권하는 이 특별행사에 대해, 게스트들 사이에서는 "우리는 영화를 보러 온 것이지 탱고를 즐기러 온 것이 아니다"라고 하면서 불만이 많았다. "투 머치 탱고Too much tango", "투 머치 와인Too much wine"이라는 말이 게스트들 사이에서 비아냥거림처럼 나왔다.

현재 베를린국제영화제 프로그래밍 디렉터를 맡고 있으며 홍상수 영화에 출연한 적도 있는 캐나다의 마크 페란슨Mark Peranson과 조금 더 가까워진 것도 마르델플라타영화제에서였다. 마르델플라타는 지속적으로 페소 환율이 절하되면서 물가가 저렴해져 지내기가 무척 좋은 곳이다. 해변에 있는 바다가 보이는 식당에서 광어 스테이크를 한화로 이천 원이면 먹을 수 있을 정도였다. 지루한 탱고 이벤트에 알아서 적당히 참석해야 하는 약간의 어려움이 있긴 했지만 말이다.

마르델플라타에서는 나의 극단적인 가금류 알러지에서 비롯된, 또 하나의 잊을 수 없는 에피소드가 있다. 부에노스아이레스독립영화제 에두아르도 안틴Eduardo Antin 집행위원장과 피터 반 뷰어렌 씨가 나에게 저녁을 사겠다며 부에노스아이레스에서 왔다. 레스토랑에서 나는 빠에야를 먹고 싶어 닭고기를 빼고 해산물을 넣어달라고 부탁했는데, 건장한 체격의 나이 든 노련한 웨이터는 알겠다고만 대답하며 주문서에는 특별히 적지 않았다. 나는 그가 잊어버릴까 봐 닭고기 빼는 것을 다시 한 번 얘기했는데, 그는 "가장 노련한 웨이터는 주문을 따로 적지 않고 모든 것을 기억하는 법"이라 덧붙이며 자신을 믿으라고 했다. 시간이 지나 기다리던 빠에야가 나왔다. 밥 한가운데 노란 샤프란 색이 돋보이는 빠에야 요리가 나왔을 때 너무나도 충격적이게 한가운데 닭다리가 자랑스럽게 꽂혀 있었다. 화가 난 안틴 위원장이 항의하자 레스토랑의 매니저까지 나와서 당황해 하며 사과를 했고, 그를 달래며 식사 값은 받지 않겠다고 했다. 문제의 웨이터가 식사 값을 전부 떠안겠다고 말했지만, 내가 안틴 위원장에게 어찌 그럴 수가 있겠느냐며 대신 "식사값에 해당하는 금액을 전부 웨이터에게 팁으로 주고 마무리를 짓자. 부정적인 한국인의 이미

지를 남기고 싶지 않다"고 했고, 웨이터에게 음식값에 해당하는 금액을 전부 팁으로 주겠다고 조용히 말해주었다.

에두아르도 안틴 위원장은 그의 부인인 플라비아 안틴Flavia Antin과 항상 같이 다녔다. 부부가 아시아영화진흥기구상인 '넷팩상' 심사위원을 종종 맡곤 했는데 그때마다 부부의 노력으로 한국영화가 자주 넷팩상을 받기도 했다.

마르델플라타영화제 경쟁부문 심사위원으로는 독일의 독립영화 감독으로 앞으로의 신작이 기대되는 에밀리 아테프Emily Atef 감독, 이탈리아의 장르영화나 독립영화를 주로 판매하는 세일즈 회사 ACEK CRL의 대표인 아드리아나 키에사Adriana Chiesa Di Palma(타계한 그녀의 남편인 카를로 디 팔마Carlo Di Palma 촬영감독은 우디 앨런Woody Allen 감독과도 여러 편의 작품을 같이 했던 국제적인 명성을 지닌 촬영감독이다.), 그리고 나, 이렇게 세 명이었다. 홍상수 감독의 〈해변의 여인Woman On The Beach〉(2006)을 두고 아테프 감독은 김승우 배우에게 남우주연상을 주려 했으나, 내가 이 작품은 배우상으로는 모자라며 감독상이 돌아가야 한다고 설득해, 〈해변의 여인〉은 결국 감독상을 받았다. 에밀리 아테프 감독은 2018년 베를린영화제에 로미 슈나이더Romy Schneider의 마지막 삶을 그린 영화 〈퀴베롱에서의 3일3 Days in Quiberon〉(2018)로 경쟁부문에 초대됐고, 독일 영화계를 대표하는 중견 감독으로 성장했다.

벤타나수르필름마켓

Ventana Sur Film Market

벤타나수르필름마켓
2009년 유럽연합의 문화 지원 프로그램인 크리에이티브 유럽의 후원을 받아 창설된 라틴 아메리카 영화시장으로, 아르헨티나 영화진흥위원회와 칸 필름마켓 공동으로 매년 11월 말에 개최된다.

2015년에는 11월 30일부터 12월 4일까지 5일 동안 아르헨티나 부에노스아이레스의 서남쪽 산 텔모 지역에서 열린 벤타나수르필름마켓에 초청을 받아 다시 부에노스아이레스를 찾았다. 2003년 부에노스아이레스독립영화제를 참가한 후 더욱 가까워진, 한국영화를 사랑했던 친구들 에두아르도와 디에고의 안부를 확인하고 싶었기 때문이었다.

벤타나수르필름마켓은 2009년 유럽연합의 문화 지원 프로그램인 '크리에이티브 유럽Creative Europe'의 후원을 받아 창설된 라틴 아메리카 영화시장으로, 아르헨티나 영화진흥위원회INCAA와 칸필름마켓 공동으로 매년 11월 말에 개최된다.

카톨릭대학교UCA 3층 건물을 메인 베뉴로 삼아 리셉션, 전시장, 회의실, 비디오 라이브러리, 휴게실 등으로 활용하고 있고, 걸어서 5분 거리에 위치한 8개의 스크린이 있는 시네 마르크에서 총 150회의 스크리닝이 펼쳐진다. 참

벤타나수르필름마켓의 미팅 플레이스

가자 수는 총 40개국에서 온 1천 7백여 명(주최측 발표)이었다.

2층 전시장은 항상 많은 사람들로 붐벼 활력이 유지되었지만, 영화 판매를 원하는 독립제작자들의 수가 압도적으로 많은 탓에 판권 구매보다는 판매사를 찾는 영화인들이 상담하는 공간처럼 보였다. 후반 작업 중인 50여 편의 신작들을 비디오 라이브러리에서 훑어볼 수 있고, 라틴 아메리카의 주목할 만한 제작자들을 만날 수 있는 것은 벤타나수르의 장점이다.

따라서 칸, 베니스, 로카르노, 산세바스티안 등 중요한 경쟁영화제 관계자들이 모두 와 있는 건 지극히 당연한 일이다. 하지만 그렇다 하더라도 칸국제영화제를 이끌고 있는 두 핵심 인물 티에리 프레모 집행위원장과 제롬 파이야르Jérôme Paillard 마켓 위원장이 모두 와 있다는 사실은 실로 놀라운 일이었다. 멕시코영화와 함께 아르헨티나영화가 칸영화제 공식 부문에 자주 초청되는 이유를 잘 설명해 주는 대목이었다. 벤타나수르는 매년 150여 편의 장편

영화를 만들어내는 아르헨티나가 프랑스 판매사들을 통해 세계로 향하는 창구이자 유럽의 유수한 경쟁영화제들에 라틴 아메리카 국가들의 신작 정보를 제공하는 공간이다. 이러한 긍정적인 기능에도 불구하고 벤타나수르는 나에게 한 가지 의문을 제기했다. 과연 그곳에서 아르헨티나의 영화 주권과 아르헨티나 정부가 지원한 예산을 행사하는 주체는 누구인가? 불행히도 그 주체는 아르헨티나가 아니라 프랑스인 것처럼 보였다.

디에고를 만나러 가기 전 호텔에서 환전을 했다. 은행의 공식 환율은 달러당 9.5 페소인데, 호텔 직원은 13페소로 계산해 주겠다고 한다. 돈을 건네주기 전 100페소 지폐에 형광펜으로 표시를 남기길래 이유를 물었더니 위폐와 구분하기 위함이라고 하면서 밤에 불법 택시에서 환전하지 말라고 주의를 당부한다. 미터기를 조작하기도 하고 고액 환전을 권유하거나 외환으로 택시비를 내라고 한 뒤 잔돈은 위폐로 지급한다는 것이다. 완벽한 범죄다. 게다가 불법으로 환전했으니 신고도 못 한다.

2003년 부에노스아이레스독립영화제의 초청으로 처음 아르헨티나에 왔을 때보다 화폐 가치는 1/4 이하로 절하됐고 치안은 더 불안한 데다 공권력은 완벽하게 통제력을 상실했다. 정권 교체가 이제야 이루어진 게 이상할 정도이다.

8년 만에 다시 만난 디에고는 시네마테크의 프로그래머로 일하면서 1년에 한두 번 국제영화제에 참가한다고 했다. 예산 때문에 한국영화 상영은 자주 못하고 그나마 현지 한국문화원의 도움으로 임권택 감독 특별전을 진행했다고 한다. 1990년대 말부터 활발하게 한국영화와 아르헨티나영화를 잇는 가교 역할을 했던 사람들이 2003년 부에노스아이레스독립영화제 조직위원장을 맡은 시장의 미움을 사 쫓겨난 후, 은퇴하거나 겨우 명맥만 잇는 정도의 활동에 그치고 있었다. 무거운 책임감이 느껴졌고 한-아르헨티나 커넥션을 하루바삐 복원시켜야 한다는 생각이 머리를 맴돌았다.

디에고는 헤어지기 전 마우리시오 마크리Mauricio Macri 신임 대통령이 환율을 현실화시키기 위해서 조만간 페소화 절하를 단행할 것이라고 말하면서 앞으로의 경제를 더 걱정했다.

부에노스아이레스에서 프랑크푸르트로 가는 비행은 난기류가 몇 시간 동안 간헐적으로 지속되는 최악의 여정이었다. 이번에도 이과수 폭포의 장관을 경험하는 일은 다음으로 미뤘다. 과연 다음 기회가 또 오겠는가?

베니스국제영화제

Venice International Film Festival

베니스국제영화제
칸과 베를린국제영화제에 비해 상대적으로 작은 규모지만 가장 오랜 역사를 갖고 있으며, 경쟁 부문에서 자주 그해의 최고작을 선보이기도 한다.

베니스의 리도섬에서 열리는 베니스국제영화제는 10회 이상 참가했지만 역시 〈오아시스〉(2002)가 경쟁부문에 초청을 받아 이창동 감독, 명계남 대표와 함께 참석했을 때가 제일 기억에 남는다. 당시 나는 부산국제영화제 월드시네마 담당 프로그래머이기도 했지만 〈오아시스〉의 공동제작자 자격으로 영화제에 참가했다. 〈오아시스〉는 경쟁부문의 작품이 상영되는 대극장 살라 그란데Sala Grande에서 경쟁작들 중 거의 후반부인 폐막일 직전에 상영 일정이 잡혔다.

영화 선정 업무와 영화인 초청 문제로 베니스에 올 때는 언제나 선착장 근처에 있는 별 두 개짜리 호텔에 숙박하곤 했는데, 배우인 명계남 대표와 동행해서인지 처음으로 늘 지나가면서 보기만 했던 1907년에 개관한, 리도에서 두 번째로 좋은 호텔 아우소니아헝가리아Ausonia Hungaria에서 전 기간을 묵게 됐다. 명계남 대표는 그때 런던에서 공부하고 있던 자신의 두 자녀를 베니스영

〈오아시스〉 팀 레드카펫 롤링. 이창동 감독, 문소리 배우, 명계남 대표

화제로 불렀는데, 한 방에는 그의 자녀들이 머물고 다른 한 방에는 나와 명계남 대표가 동숙을 했다. 수상에 대한 기대가 있었기 때문에 베니스영화제 전 기간 동안 체류했는데 그렇게 오랜 기간을 베니스에 머물렀던 것은 처음이었다.

〈오아시스〉 공식 상영이 있기 하루 전에 파리에서 피에르 리시엥 씨가 우리를 응원하고 격려하기 위해 찾아왔다. 나는 그를 반갑게 맞았고 베니스영화제 메인 호텔인 엑셀시오호텔Hotel Excelsior의 테라스 커피숍으로 가서 〈오아시스〉와 관련된 이런저런 이야기를 나누었다. 그는 개인 사정으로 오래 있지 못하고 베니스에서 체류한다고 했고, 공식 스크리닝에 함께하지 못하는 것을 매우 안타까워했다. 그는 오랜 기간 베니스영화제 모리츠 데 하델른Moritz de Hadeln 집행위원장과 친분이 있는 사이이고 어떤 방식으로든 우리를 돕기 위해서 왔는데, 이스트필름의 넉넉지 못한 사정 때문에 공식적으로 실비 수준

베니스영화제 경쟁부문 영화가 상영되는 팔라초델치네마. 장편 경쟁 영화를 포함해서 모든 부문에 초청된 영화 제작국들의 국기가 건물 상층부에 게양된다

엑셀시오호텔 해변에서 열린 베니스영화제 개막 리셉션에서 베를린영화제 마리에트 리센벡 운영위원장과 함께

베니스영화제 개막 리셉션에서 만난 나스타샤 킨스키 배우와 리카르도 젤리 피렌체한국영화제 집행위원장

La Biennale di Venezia

Arte
Architettura
Cinema
Danza
Musica
Teatro
Archivio Storico

Cerimonia di apertura

platea centrale

fila 14 poltrona 12

Palazzo del Cinema, Sala Grande
Mercoledì 29 agosto 2018 ore 19.00
l'accesso in sala sarà consentito entro e non oltre le ore 18.30

제75회 베니스영화제 개막식이 열리는 살라그란데 입장권

La Biennale di Venezia

Arte
Architettura
Cinema
Danza
Musica
Teatro
Archivio Storico

Ricevimento
Hotel Excelsior

LEONE BLU

Lido di Venezia
Mercoledì 29 agosto 2018

엑셀시오호텔에서 열리는 개막 리셉션 초청장

베니스영화제의 역사를 엿볼 수 있는 전시회가 열린 호텔데뱅

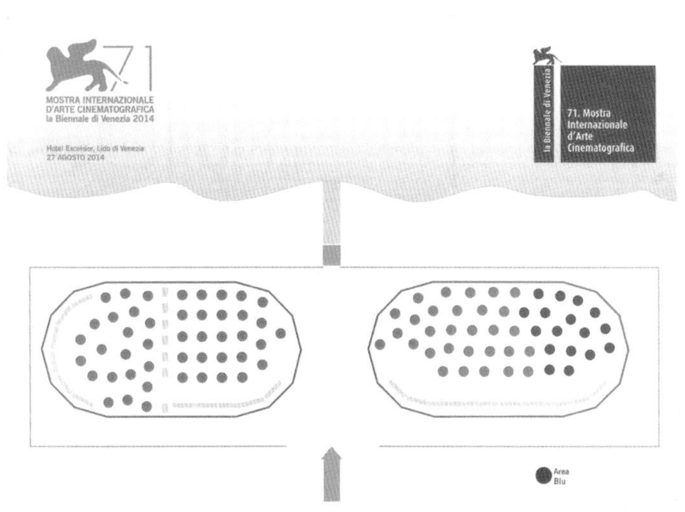

제71회 베니스영화제 리셉션 좌석 배치도. 당해 경쟁 부문에 초청받은 영화인들은 주로 레드 스티커가 붙고, 영화기관이나 영화제, 스폰서 관련 인물들은 주로 파란 스티커가 붙는다

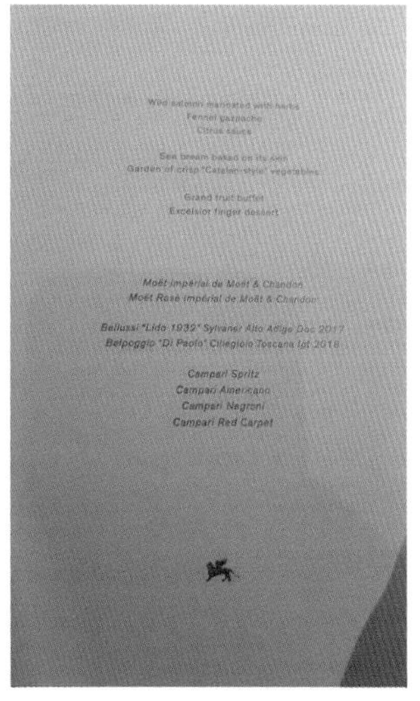

리셉션 메뉴

의 출장비를 주지 못해 매우 미안했다.

〈오아시스〉의 공식 상영에 앞서 레드카펫 롤링 이벤트가 시작되기 직전에 모리츠 데 하델른 위원장은 김동호 당시 부산영화제 집행위원장과 나를 살라그란데 2층에 있는 자신의 집무실로 불렀다. 배석한 사람이 없는 가운데, 데 하델른 위원장은 자리에 앉자마자 우리에게 〈오아시스〉가 얼마나 대단하고 매력적인 멜로드라마인지를 말하면서 찬사를 늘어놓았다. 그러면서 그는 놀랍게도 〈오아시스〉가 감독상을 받게 될 거라는 사실을 귀띔해 주었다. 데 하델른 위원장이 왜 우리에게 시상식에서 들어야 할 소식을 미리 알려주었을까? 순간적으로 환희와 예기치 못한 놀라움이 교차하는 표현하기 어려운 감정에 휩싸였다.

데 하델른 집행위원장은 17년 동안 집행위원장으로서 이끌었던 베를린영화제를 떠나 베니스영화제 신임 집행위원장으로 위촉되었다. 영어와 불어는 능통하지만 독일어가 서툰 그가 외국인 전문가에 대해 별로 호의적이지 않은 베를린에서 그렇게 오랫동안 집행위원장 직을 수행한 것으로 미루어 볼 때, 그의 탁월한 정치력을 짐작할 수 있다.

곧 이어진 짧은 레드카펫 롤링 이벤트를 끝낸 후 바로 살라그란데의 대표단석으로 안내를 받아 우리는 이동했고, 장내 아나운서의 소개에 따라 이창동 감독, 문소리 배우, 명계남 대표 그리고 내가 순차적으로 관객들에게 소개되었다. 영화제 운영자가 아닌 영화인으로 처음 소개받는 영광스러운 순간이었다.

데 하델른 집행위원장의 〈오아시스〉 수상 결과에 대한 깜짝 공유는 아마도

'내가 한국영화를 이렇게 배려하고 있다'라는 것을 확인받고자 함이 아니었을까.

시상식 다음 날, 호텔에서 체크아웃을 하는데 아래층에서 계산을 하고 있던 명계남 대표가 나를 "제이 전!" 하면서 다급하게 부르는 소리가 들렸다. 두 방의 숙박료를 계산하고 있었던 그는 총 숙박료가 자신의 신용카드 한도로 해결이 안 된다는 것을 뒤늦게 알고 매우 당황했던 것이다. 나는 내려가서 내 신용카드를 꺼내 계산을 했는데, 총액은 정말 놀라울 정도의 금액이었다. 독립영화제작사 대표로서 감당하기 어려운 엄청난 숙박비를 지불했지만, 결과적으로 〈오아시스〉가 감독상, 마르첼로마스트로야니상Marcello Mastroianni Award (신인 연기자상, 문소리), 그리고 비공식상인 젊은 비평가상을 받았으니 돌아서는 발걸음은 매우 가벼웠다.

데 하델른 위원장이 베니스와의 계약이 끝나고 캐나다로 옮겨 몬트리올뉴시네마영화제 집행위원장으로 위촉되어 일 년간 활동할 때, 영화 선정을 위해 서울을 다녀간 적이 있다. 그는 은퇴하고 아내인 에리카 데 하델른Erika de Hadeln 씨와 함께 '하델른과 그의 친구들Hadeln and His Friends'이라는 컨설팅 회사를 설립하고 영화제 관련 총괄적인 컨설팅 업무를 자문하는 일에 종사했다. 몬트리올영화제를 끝내고 데 하델른 위원장이 컨설팅 업무에 종사할 때 부산영화제는 그를 초대했고, 전용 차량과 VIP 코디네이터를 배치해 불편이 없도록 정성을 다해 후대했다.

1969년 니옹국제다큐멘터리영화제International Film Festival Nyon-Visions du Réel를 창설했고, 남편 모리츠 데 하델른 씨와 함께 로카르노, 베를린, 베니스영화제를 이끌었던 여성 최초의 A등급 영화제 수장이자 한국영화와 부산국제영화제의 국제화를 위한 조언을 아끼지 않았던 에리카 데 하델른 씨는 2018년 12월 별세했다. 그녀는 1999년 베를린영화제에서 〈태양으로의 여행Journey to the Sun〉(1999)으로 블루엔젤상Blue Angel Award을, 2008년 산세바스티안영화제에서 〈판도라의 상자Pandora's Box〉(2008)로 대상인 황금조개상Golden Shell Award을 수상한 터키의 예심 우스타오글루Yeşim Ustaoğlu 감독과 내가 친분을 쌓는 계기를 만들어 주기도 했다. 우스타오글루 감독의 작품들은 부산영화제에 자주 초대되었고, 그녀는 심사위원으로 영화제를 방문하기도 했다.

부산영화제와 개최 날짜가 한 달 밖에 차이가 나지 않는 베니스영화제에 매년 빠짐없이 가기는 쉽지 않았으나, 매년 베니스영화제에서는 개막식 초청장이 왔고 가능하면 참가하기 위해 노력했다. 베니스영화제와의 우의는 계속 이어졌고 부산영화제 사태가 전개될 때 알베르토 바르베라Alberto Barbera 집행위원장을 베를린영화제에서 만나 부산영화제 입장을 지지하는 인터뷰를 직접 촬영해 오기도 했다. 바르베라 위원장은 1998년부터 2002년까지 베니스영화제의 집행위원장으로 활동한 후 물러났다가 2011년에 복귀해서 지금까지 집행위원장을 다시 맡고 있다.

부산영화제 집행위원장으로 복귀한 후, 2018년 8월 28일부터 31일까지 베니스영화제에 다녀왔다. 개막식 참석과 알베르토 바르베라 위원장 예방이 주 목적이었지만 개막작 〈퍼스트 맨〉을 포함한 다섯 번의 스크리닝, 전시회 관람, VR극장 둘러보기 등으로 짧지만 바쁜 나날이었다.

3년 만에 다시 찾은 베니스국제영화제의 큰 변화는 메인 베뉴의 하나인 팔라초델카지노의 리모델링을 끝낸 것이다. 개막식 연설에서 파올로 바라타 조직위원장은 팔라초델카지노의 조기 완공에 도움을 준 모든 이에게 감사의 뜻을 표했지만, 어쩌면 베니스영화제는 어려운 국가 경제 때문에 팔라초델치네마의 재건축 대신 팔라초델카지노의 리모델링을 택함으로써 재도약의 꿈을 포기할 수밖에 없었는지도 모른다.

칸영화제의 티에리 프레모 집행위원장과 감독주간의 파올로 모레티 신임위원장을 만나 반갑게 인사를 나누었다. 개막식의 하이라이트는 역시 영화, 연극, TV에서 60여 년 동안 탁월한 업적을 달성한 영국 여배우 바네사 레드그레이브Vanessa Redgrave에게 명예 황금사자상이 주어지고 그녀가 짧지 않은 답사를 이탈리아어로 말할 때였다. 그녀가 말을 이어갈 때 나는 내 자신에게 우리에게도 이런 자랑스러운 연기자가 있을까 하고 질문을 던졌고 오래 걸리지 않아 한 사람을 떠올렸다.

탐미주의 영화의 극치라고 할 수 있는 루키노 비스콘티Luchino Viscont 감독의 〈베니스에서 죽다Death In Venice〉(1971)에도 나오는 호텔데뱅Grand Hotel des Bains에서 베니스영화제의 75년 역사를 엿볼 수 있는 전시회가 열렸는데, 내게는 전시회도 전시회지만 1990년대 초 베니스영화제에 처음 왔을 때의 소중한 추억과 다시 조우할 수 있는 기회였다. 베니스영화제의 위대한 75년 역사를 살피면서 한 가지 깨달은 점은, 그들도 페스티벌 아이덴티티를 확정하기까지 20여 년 이상 시행착오를 겪었다는 것이다. 처음부터 날개 달린 황금사자가 영화제 심볼은 아니었다.

베니스를 떠나는 날 아침 리도 섬 앞 아주 작은 섬에 효율적으로 꾸며져 있는 베니스영화제 VR 극장을 찾아 둘러봤다. 팔라초델치네마 위에 태극기가 펄럭이고 있는 이유는 VR 시네마 경쟁부문에 〈버디Buddy〉(2018)로 초대돼 장편 부문 대상을 수상한 채수응 감독의 노력 덕분이다.

마지막으로 베니스국제영화제에 초청된 저명한 영화인들을 직접 대면할 수 있는 개막 리셉션에 대해 살펴볼 필요가 있다. 개막 리셉션은 1907년에 세계에서 가장 호화스러운 건축물을 만들겠다는 일념으로 문을 연 엑셀시오 호텔 해변에서 개막작 상영 직후 열린다. 리셉션 장소는 엑셀시오호텔 해변을 좌우로 크게 두 부분으로 대별해 큰 파빌리온 두 개가 만들어지고, 여기에 초대되는 사람들을 여러 범주로 세분해서 좌석 배정을 한다. 경쟁부문을 포함한 영화제에 초청된 영화인들, 심사위원들, 메이저 영화제나 영향력 있는 영화제의 집행위원장들, 유럽의 주요한 영화기구나 영화기관의 수장들, 이탈리아의 영화 단체장들, 그리고 영화제 스폰서들… 이런 범주에 속한 사람들이 초대받아 테이블에 번호가 매겨지고, 초대장에 파란색과 빨간색 스티커가 분류돼 붙는다. 예를 들면 영화제 관계자들은 문화기관이나 영화단체장들과 함께 자리하게 된다. 참고로 2018년도에 나와 테이블을 함께 했던 사람들은 베를린국제영화제 마리에트 리센벡Mariette Rissenbeek 운영위원장, 배우 나스타샤 킨스키Nastassja Kinski 등이었다.

베를린국제영화제 2

Berlin International Film Festival, Berlinale

처음 베를린에 가게 된 것은 1990년대 초 삼성 나이세스가 개최하는 서울국제단편영화제에서 집행위원으로 활동할 때, 독일의 실험영화 감독으로 명성이 있는 크리스토프 야네츠코Christoph Janetzko 감독을 심사위원으로 초대하기 위해서였다. 그 후로 베를린은 스물다섯 번 이상 찾았는데, 아마 내가 베를린보다 더 많이 방문한 외국도시는 파리 외에는 없을 것이다. 1961년 존 F. 케네디 대통령의 베를린 방문 연설에서 독일인들을 감동시켰던 "나도 베를린의 시민입니다Ich bin ein Berliner"라는 말처럼, 내가 베를린시로부터 명예시민증을 받은 것은 아니지만 그 정도에 준하는 자격을 가지고 있다고 감히 말할 수 있다. 베를린 시내에서 만난 독일인들이 내게 길을 물어보는 경우도 많을 정도니 말이다.

베를린국제영화제 혹은 베를리날레는 쿠담의 초 팔라스트가 영화제의 메인 베뉴였을 때와 포츠다머 플라츠Potsdamer Platz의 베를리날레 팔라스트Berlinale

베를리날레 팔라스트

Palast가 메인 베뉴가 되었을 때 두 개의 시기로 구분할 수 있다.

베를린영화제의 인터내셔널 포럼 섹션은 우리 시대의 중요한 사안을 다룬 극영화와 다큐멘터리를 중점적으로 소개하는 부문이다. 교수 출신의 울리히 그레고르Ulrich Gregor 씨와 그의 부인인 에리카 그레고르Erika Gregor 부부가 공동 집행위원장으로 오랫동안 운영해 왔다. 울리히 그레고르 위원장은 1960년대 뉴 저먼 시네마의 태동기이자 유럽에서 학생 혁명과 신좌파운동이 들판의 불길처럼 전 서유럽으로 퍼져나가고 있을 때, 사회 변혁을 꾀하고자 하는 영화들과 감독들을 열성적으로 지지했다. 1962년 오버하우젠국제단편영화제International Short Film Festival Oberhausen에서 26명의 젊은 독일 영화인들이 발표한 "아버지의 영화는 죽었다Papas Kino ist tot"로 잘 알려진 '오버하우젠 선언문

베를린영화제 개막식에서 다시 만난 티에리 프레모 칸영화제 집행위원장

Oberhausen Manifesto'에서도 맹활약을 펼쳤다. 가장 진보적인 자세로 새로운 독일 영화와 주목해야 할 작품을 소명감을 가지고 소개하며, 인터내셔널 포럼에 초대된 영화들의 관객과의 대화를 열 시간 동안이나 지속했던 열정의 시대를 주도한, 영화제 운영자의 모범을 보인 인물이다.

그레고르 부부의 한국영화에 대한 관심은 지대했고, 부산국제영화제에 대한 관심도 적극적이었다. 두 사람 덕분에 한국영화는 꾸준히 포럼 부문에 초대되었다. 광주민주화운동을 최초로 다룬 한국의 독립영화들이 처음으로 소개된 것도 인터내셔널 포럼에서였다.

나는 매년 2월 베를린영화제를 갈 때마다 항상 포럼 사무실을 찾아 두 분에게 인사를 드렸다. 1996년 제1회 부산영화제는 울리히 그레고르 위원장

데 하델른 위원장에게 한국영화공로상 수여. 김동호 위원장, 에리카 데 하델른(좌), 모리츠 데 하델른(우)

에게 한국영화공로상Korean Cinema Award을 수여함으로써 한국영화에 대한 그들의 애정에 보답했다.

그러나 부산영화제의 국제관계를 거의 전담하고 있었던 김동호 위원장과 나에게는 베를린영화제와 관련해 고민이 있었다. 그것은 다름 아닌 베를린영화제 경쟁부문에 한국영화가 매우 드물게 초청된다는 것이었다. 좀 더 자주 활발하게 그 부문에 한국영화가 초대될 필요가 있었다. 구수회의 끝에 베를린 집행위원장인 모리츠 데 하델른 씨에게 1998년 부산영화제에서 한국영화공로상을 수여하기로 결정하고, 역대 어느 수상자도 받지 못했던 대형 부채를 선사하기로 했다. 모두가 한국영화를 위한 일념에서 시작한 것으로 생각했고, 전혀 거리낌이 없었다. 베를린영화제에 방문했을 때 우리는 그에

디터 코슬릭 집행위원장과의 반가운 회동

게 베를린 현지에서 한국영화공로상을 드리기로 결정했다. 데 하델른 위원장은 오랜 친구를 만났다는 듯 우리를 환대했고, 그때 집행위원장 전속 사진가가 갑자기 들어와 김동호 위원장과 데 하델른 위원장, 그리고 내가 활짝 웃고 있는 3인 사진을 찍었다. 그 사진은 다음 날 영화제 데일리의 눈에 잘 띄는 면에 크게 나왔다. 바로 그 날 오후, 우리가 전혀 예상하지 못한 대형사고가 발생한다.

우리를 만날 때마다 따뜻한 미소를 지으셨던 그레고르 부부가 대노하여 김동호 위원장을 맹비난하고 다시는 보지 말자는 식으로 격분의 언사를 쏟아냈던 것. 상상도 하지 못했던 상황이라 어찌할 바를 몰랐고, 또 어떻게 수습을 해야 할지 알 길이 없었다. 다음 날 다시 그들을 찾아 사과를 하고 해명을

〈신은 존재한다, 그녀 이름은 페트루냐〉로 경쟁부문에 온 북마케도니아의 테오나 미테브스카 감독과 그의 동생 라비나 미테브스카 배우

하고자 했으나, 만남은 거부됐고 기회는 주어지지 않았다. 많은 독일의 영화 관계자들이 알고 있었던 데 하델른 위원장과 그레고르 부부 사이의 오랜 불화를 전혀 알지 못했던 우리의 정보력 부재에서 온 큰 낭패였다.

데 하델른 위원장은 온갖 수단과 방법을 가리지 않고 그레고르 부부를 오랫동안 박해하면서, 베를린영화제 내에서 인터내셔널 포럼을 분리시켜 여름에 따로 개최하라고 해오던 상황이었다. 베를린영화제에서 인터내셔널 포럼과 그레고르 부부를 내쫓으려고 하는 그의 시도가 모든 문제의 근원이었고, 그들의 관계는 절대로 화합할 수 없는 최악의 수준이었다는 것을 우리가 전혀 몰랐고 알 길도 없었던 것이다.

기회가 될 때마다 한국영화를 위해 한 일이고 어떠한 사심도 없었으며, 앞으로도 계속 인터내셔널 포럼과의 관계에서 최선을 다하겠다고 두 분에게 지속적으로 여러 번 말씀을 드렸지만, 관계는 결코 회복되지 않았다. 그레고르 부부에게는 우리가, 특히 김동호 위원장이 너무나도 얄팍한 사람으로 오인돼 버린 것이다. 그 사건은 그레고르 부부가 도쿄필름엑스영화제의 하야시 가나코 집행위원장과 더욱 가까워지는 계기가 되었고, 이후 그레고르 부부가 부산영화제 초청에 응하지 않고 매년 도쿄필름엑스영화제로 가는 돌이킬 수 없는 상황이 됐다.

큰 것을 하나 얻으면서 또 다른 소중한 것을 잃어버리는 경험을 하면서 내가 깨달은 것은, 현명한 국제관계를 위해서는 더욱더 많고 정확한 정보가 필요하다는 점이다. 이후 시간이 많이 지나며 냉각된 관계는 꽤나 풀렸으나 이전의 관계로는 회복할 수 없었다.

한국영화공로상을 전달하기 위해 데 하델른 위원장을 만나 대화를 나누는 자리에서 나는 영화 〈박하사탕〉의 이야기를 꺼냈다. 그런 나에게 데 하델른 위원장은 〈박하사탕〉이 베를린영화제 경쟁부문에 초대될 만한 영화라고 생각하느냐고 물으면서, 경쟁작들이 상영되는 2,000석이 넘는 초 팔라스트의 대형 스크린에 과연 어울리는 작품이냐고 반문했다.

2019년 베를린영화제에서 〈신은 존재한다, 그녀 이름은 페트루나God Exists, Her Name Is Petrunya〉(2019)로 경쟁부문에 초청된 테오나 미테브스카Teona Strugar Mitevska 감독에게 저녁 초대를 받았다. 포츠다머 플라츠 소니 센터에 있는 요스티Josty 레스토랑에서 감독의 경쟁부문 초청을 축하하는 자리였다. 여기에는 감독의 동생이며 배우 겸 프로듀서로 활동하고 있는 라비나 미테브스카Labina

Mitevska도 함께했는데, 그녀는 베니스국제영화제 황금사자상 수상작인 밀코 만체브스키Milcho Manchevski 감독의 〈비포 더 레인Before the Rain〉(1994)으로 본격적인 연기 생활을 시작했고, 2018년 제23회 부산영화제 뉴커런츠 심사위원으로도 참여한 바 있다. 사라예보영화제 경쟁부문 프로그래머이면서 시나리오 작가이기도 한 엘마 타타라지치Elma Tataragić 씨도 자리를 함께했다.

북마케도니아의 마나키 브라더스Manaki Brothers의 업적을 기리기 위해 1979년 창설된 마나키브라더스영화제The International Cinematographers Film Festival "Manaki Brothers"의 조직위원장으로 일한 적이 있던 라비나 미테브스카 씨는 나를 그 영화제에 초청했지만 개최 시기가 부산영화제 직전이어서 아쉽게도 갈 수가 없었다. 그러나 '발칸의 자매들'과의 베를린에서의 재회는 즐거운 기억으로 남아있다.

숫자로 본 나의 2019년 베를린국제영화제

스크리닝	28
미팅	39
참가 리셉션	11
걸음	162,267보
지출	타인에게 쓴 것 884.10 euros 개인적으로 쓴 것 960 euros
음식	세계 각국 요리 6 한식 6 독일식 5 이탈리아식 5 일식 2

2019년 베를린영화제에서 일주일 동안 나의 활동기록을 요약한 표이다. 메이저 영화제에 참가할 경우 경쟁작들과 최신작들을 보는 스크리닝도 중요하지만, 아직 어느 영화제에도 선을 보이지 않은 새로운 프로젝트를 갖고 있는 프로듀서나 세일즈 에이전트와의 미팅도 못지않게 중요하다. 매일 저녁 서너 개 이상씩 열리는 크고 작은 리셉션의 경우, 각국의 영화진흥위원회 위원장들과 영화제 담당자들, 그리고 국제영화제 관계자들과의 만남을 위해 중요한 것을 선별하여 참석한다. 리셉션에서 15분 이상 머물지 않으면서 가능한 영향력 있는 사람들을 많이 만나는 노하우와 경험이 필요하다. 메이저 영화제에서는 상영관과 마켓, 그리고 호텔들을 하루종일 이동해야 하므로 영화제 셔틀이나 대중교통, 즉 도시기차, 트램, 버스 등을 이용하는 경우도 있으나 걷는 것이 최선의 방책인 경우가 많다. 칸영화제는 베를린과 달리 영화제 셔틀이나 대중교통의 이용이 거의 어렵기 때문에 훨씬 더 많이 걷게 된다.

점심이나 저녁 식사 자리를 주요 영화인이나 영화제계의 주요 인물들을 만나는 기회로 활용하는 것이 필요하다. 그러기 위해서는 다양한 문화권의 음식문화에 대한 기본적인 이해가 필요하다.

코로나19가 본격적으로 창궐하기 전 방문한 베를린

네덜란드 출신이면서 오랫동안 독일 영화진흥위원회인 저먼필름즈German Films 위원장으로 독일 영화의 해외 소개에 헌신해온 마리에트 리센벡 위원장이 베를린국제영화제 운영위원장으로 위촉됐고, 로카르노영화제 예술감독이었던 카를로 차트리안Carlo Chatrian 씨가 베를린의 예술감독으로 선임됐다. 또 캐나다 출신의 마크 페란슨 씨가 프로그래밍 디렉터를, 인터내셔널 포럼은 크리스티나 노르트Christina Nord 씨가 맡아 모든 섹션의 수장이 새로운 얼굴로 다 바뀌었다. 인터내셔널 포럼을 제외하고는 모두 비독일인으로 구성되었다.

2020년 코로나가 본격적으로 창궐하기 전임에도 불구하고 아르카덴 지하와 지상층 전체의 리노베이션 작업이 대대적으로 진행되면서, 포츠다머 플라츠 전체에 많은 상점들이 비는 공동화 현상이 일어났다. 인적이 끊긴 모습에 영화제 베뉴가 다른 곳으로 바뀌는 것이 아닌가 하는 착각을 불러일으켰다.

2015년 제20회 부산국제영화제에서 한국영화공로상을 받았으며 오랫동안 파노라마 섹션을 대표했던 빌란트 쉬펙Wieland Speck 위원장은 은퇴했고, 인터내셔널 포럼에서 오랫동안 헌신했던 크리스토프 테레히테Christoph Terhechte 위원장은 모로코 마라케쉬영화제Marrakech International Film Festival에서 2년 동안 예술감독으로 활동하다가 지금은 독일 라이프치히다큐멘터리영화제Dok Leipzig 집행위원장으로 일하고 있다. 베를린영화제는 완전히 새로운 경향의 영화제가 될 전망이다.

국제시장〉으로 파노라마 부문에 초대된 윤제균 감독을 만났다

베를린영화제에 참가한 유럽의 집행위원장들과 늘 함께했던 '에쎈자'식당(상)
베를린영화제 한국영화의 밤(하)

2018년 5월 6일 신상옥, 임권택, 이창동, 김기덕, 홍상수, 박찬욱, 봉준호, 이광모 감독 등 많은 한국 영화인들을 칸국제영화제를 통해 전 세계에 알린 한국영화의 후견인이자 친구였던 피에르 리시엥 씨가 파리에서 영면했다.
부산국제영화제가 오래전부터 칸영화제와 절대 신뢰의 관계가 되어 단기간에 국제영화제계에서 중요한 영화제로 부각된 것도 그의 노력 덕분이었고, 내가 티에리 프레모 집행위원장과 친구 사이가 된 것도 그가 가교 역할을 한 덕택이었다. 1990년대 말부터 지속된 한국영화 제2의 황금기는 그의 조력에 힘입은 바가 너무나 크다. 리시엥 씨는 칸영화제에서 자신의 영화 〈이반과 마리Five and the Skin〉(1982)의 복원판 상영을 앞두고 타계했다.

한국영화의 영원한 친구 피에르 리시엥
세자르상
매년 2월에 파리에 가야 하는 이유
부산국제영화제 조직위원장
크리스티앙 죈
파리의 집행위원장들
몽트레이유시의 공공영화관 르 멜리에스
프렌치나이트
요코하마-프랑스영화제
프라이빗 스크리닝
잔느 모로
배우 윤정희
뤼미에르영화제

프랑스, 영화

리시엥 씨는 프랑스 누벨바그의 대표적인 감독이자 장르 영화의 달인인 클로드 샤브롤Claude Chabrol 감독의 〈사촌들Les Cousins〉(1959)과 장 뤽 고다르 감독의 〈네 멋대로 해라À bout de souffle〉(1960)의 조감독으로 활동했고, 장편영화 〈알리비스Alibis〉(1977)와 〈이반과 마리〉를 만든 감독이기도 하다. 그의 강점은 예술영화와 영화 편집에 대해 해박한 지식을 가지고 있다는 것이다. 그렇기 때문에 자신이 예술 고문을 맡아 칸영화제에 초청된 작품의 최종 편집에도 관여하여 작품을 최종적으로 완성시키고 싶어했고, 리시엥 씨와 협업을 한 감독들은 대부분 성공의 길을 걸었다.

한국영화의 영원한 친구 피에르 리시엥Pierre Rissient

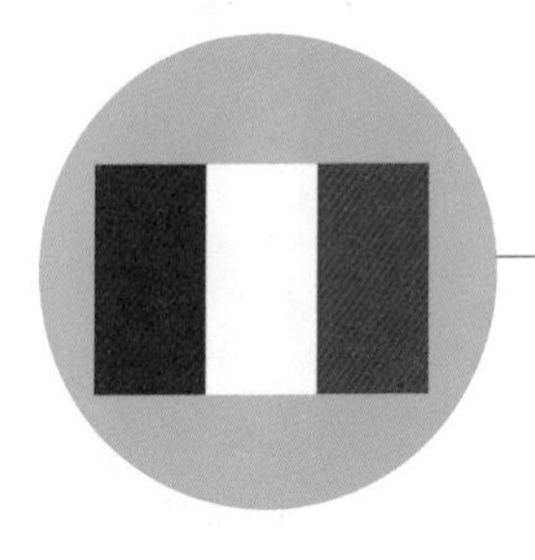

2018년 5월 6일 신상옥, 임권택, 이창동, 김기덕, 홍상수, 박찬욱, 봉준호, 이광모 감독 등 많은 한국 영화인들을 칸국제영화제를 통해 전 세계에 알린 한국영화의 후견인이자 친구였던 피에르 리시엥 씨가 파리에서 영면했다.

부산국제영화제가 오래전부터 칸영화제와 절대 신뢰의 관계가 되어 단기간에 국제영화제계에서 중요한 영화제로 부각된 것도 그의 노력 덕분이었고, 내가 티에리 프레모 집행위원장과 친구 사이가 된 것도 그가 가교 역할을 한 덕택이었다. 1990년대 말부터 지속된 한국영화 제2의 황금기는 그의 조력에 힘입은 바가 너무나 크다. 리시엥 씨는 칸영화제에서 자신의 영화 〈이반과 마리Five and the Skin〉(1982)의 복원판 상영을 앞두고 타계했다.

파리 페르라쉐즈 공동묘지Père Lachaise Cemetery의 시신 안치소에서 피에르 리시엥 씨의 추도식이 거행됐다. 멀리 서울에서 김동호 이사장과 강수연 씨가 오셨고, 이창동 감독과 파인컷의 서영주 대표, 그리고 나는 칸영화제가 끝나고 합류했다. 칸영화제에서 리시엥 씨의 유족들과 협의해 많은 사람들이 참여

할 수 있도록 칸영화제 직후로 추도식을 잡았기 때문이다. 〈허수아비Scarecrow〉(1973)로 칸영화제에서 황금종려상을 받고 배우 알 파치노Al Pacino를 발굴했으며, 고인과 매우 가까웠던 제리 샤츠버그Jerry Schatzberg 감독은 뉴욕에서 왔다. 티에리 프레모 칸영화제 집행위원장, 베르트랑 타베르니에Bertrand Tavernier 감독, 미셸 시망 평론가, 올리비에 아사야스 감독, 올리비에 페르Olivier Père 아르테 영화제작 총괄 본부장, 인도네시아의 크리스틴 하킴Christine Hakim 배우, 로저 가

피에르 리시엥 씨의 장례식에 참석한 〈허수아비〉의 제리 샤츠버그 감독
90세의 고령에도 불구하고 리시엥 씨의 마지막 가는 길을 보기 위해 미국에서 날아왔다

미망인인 송영희 여사에게 위로의 말을 전하기 위해 파리까지 온 강수연 배우와 이창동 감독

파리에서의 장례식에 앞서 칸영화제 기간 중 부뉴엘관에서 열린 추모식
무대 위에 선 故 베르트랑 타베르니에 감독과 티에리 프레모 집행위원장

르시아Roger Garcia 홍콩국제영화제 운영위원장 등 250여 명의 프랑스, 미국, 아시아 영화인들이 고인의 마지막 가는 길에 함께했다.

1시간 동안 이어진 추도식은 미망인인 송영희 여사의 사부곡으로 시작해서 차분하고 애통한 분위기 속에서 프레모 위원장, 타베르니에 감독, 시망 평론가, 이창동 감독, 그리고 샤츠버그 감독 순으로 이어졌다. 특히 이창동 감독은 〈초록물고기〉를 계기로 고인과의 인연이 이어진 구체적인 사례를 말하면서, 고인이 얼마나 재능있는 영화인 발굴에 관심이 많았고 지원을 아끼지 않았는지를 역설했다.

영화 〈오즈의 마법사The Wizard Of Oz〉(1939)의 주제곡 〈오버 더 레인보우〉가 흘러나오는 가운데 추도객 모두가 관 위에 꽃잎을 올려놓으면서 고인과 마지막 별리를 하는 절차를 끝으로 추도식은 막을 내렸다. 영화적으로나 인간적으로 신뢰할 수 있었고, 보수를 지급하지 않았던 나의 개인교사이자 친구였던 피에르 리시엥. 칸, 베를린, 베니스, 도빌, 부산, 파리 등에서 그와 함께하면서 한국영화에 대해서 이야기했던 수많은 시간들이 교차되는 순간이었다. 그는 세르비아의 밀로룹 부코비치Miroljub Vučković 씨와 더불어 마치 식구처럼 나와 가장 식사를 많이 한 사람이다. 1992년 오가와 신스케 감독의 일본식 장례 절차에도 참가했지만 프랑스식 추모식에 참여한 것은 그때가 처음이었다.

추도식은 칸영화제 기간 중에도 열렸는데, 추도식이 열린 부뉴엘관에 칸영화제 전설인 질 자콥Gilles Jacob 전 칸영화제 조직위원장이 모습을 드러냈다. 칸영화제에서 40년 이상을 근무하면서 장거리 여행을 꺼렸던 질 자콥 전 위원장은 친구이자 후배인 피에르 리시엥 씨를 '비공식 특사'처럼 여러 나라로 보내 세계 영화계의 흐름을 파악했다고 한다. 질 자콥 위원장은 칸영화제에서 공식적으로 은퇴한 상태라, 무대 아래에서 추도사를 읽었다. 50년 가까이를 집행위원장, 조직위원장으로 칸에 몸담았던 분이 무대 아래에서 추도사를 읽는 모습이 다소 쓸쓸하게 느껴졌다.

리시엥 씨와의 공식적인 첫 만남은 1996년 5월로 거슬러 올라간다. 부산영화제를 창설하기 위해 칸영화제 기간 중 칸 시청 근처의 작은 식당을 빌려 국제영화제계의 주요 인사 스무 명 정도를 초대해 오찬 모임을 가졌다. 실제로는 열다섯 명 정도 왔고, 그중 한 사람이 리시엥 씨였다. 그 때부터 시작된 그와 한국영화의 특별한 인연이 그의 마지막 순간까지 계속 이어지게 된 것이다.

그와의 첫 개인적인 만남은 삼청동에 있는 한정식 식당 '용수산'에서였다. 개성식 음식을 전문으로 하는 곳이었는데, 그와 인간적인 교류를 하고 싶어 초대한 자리였다. 정식 2인분에다 그에게 한국적인 음식을 소개하고 싶어서 특별히 보쌈김치를 주문했다. 음식이 본격적으로 나오기 전에 보쌈김치가 먼저 상 위에 올라왔는데, 허기가 졌는지 리시엥 씨는 포크를 들고 보쌈김치를 먹기 시작했다. 내가 잠시 방 밖에 나갔다 들어온 사이에 그는 순식간에 보쌈김치를 전부 다 비웠는데, 그때 나는 리시엥 씨가 틀림없이 한국과 깊은 인연이 있음을 느낄 수 있었고, 나의 그런 생각은 적중했다.

리시엥 씨는 1970년대에 처음 한국을 방문했다고 했다. 국내 영화제작자들을 만나 칸영화제 출품을 권유하러 찾은 것이었는데, 놀랍게도 그를 만나고자 했던 사람은 단 한 명도 없었다고 한다. 왜냐하면 당시 한국 영화제작자들은 막대한 이익이 걸린 외화 수입 쿼터가 보장되는 대종상영화상 수상에만 매달렸기 때문이다. 이에 낙담한 리시엥 씨는 다음 해 평양을 방문하게 되고, 그곳에서 신상옥 감독을 만났다고 한다. 아마 그때 두 사람의 만남이 1994년 신상옥 감독을 한국 영화인 최초로 칸영화제 경쟁부문 심사위원으로 만든 계기가 된 것이라고 볼 수 있다.

부산영화제 초창기 시절, 칸영화제 파리 사무실은 지금보다 작은 규모였고, 파리 북서부 말제브Malsherbes에 위치해 있을 때 김동호 이사장과 함께 방문한 적이 있다. 외국에서는 약속시간보다 항상 30분 일찍 도착하는 나만의 규칙도 그때부터 생긴 버릇이다. 당시 칸영화제의 지배자라고 사람들이 말하던 질 자콥 조직위원장을 만나러 간 길이었다. 그 만남의 다리를 놓아 준 사람이

피에르 리시엥 씨다.

넓지 않은 칸 사무실 안에 있는 나선형 계단을 통해 이층에서부터 키가 크고 마른 드골 대통령과 비슷한 용모의 칸의 지배자가 내려오는 모습은, 체형은 완전히 다르지만 프란시스 포드 코폴라Francis Ford Coppola 감독의 〈지옥의 묵시록Apocalypse Now〉(1979)에서 어둠 속에서 삭발한 머리를 물로 닦아 내면서 조금씩 얼굴이 보이던 말론 브란도Marlon Brando를 연상시켰다.

작고 초라한 신생 영화제 집행위원장과 프로그래머가 리시엥 씨 덕분에 칸의 지배자를 만나게 된 것이다. 그 만남의 함의가 얼마나 큰 것이었는지는 당시에는 결코 상상하지 못했다. 질 자콥 위원장과의 미팅이 있은 지 세 달 후 김동호 이사장과 나는 칸영화제 개막식에 초대되어 뤼미에르 극장 일층 왼쪽 섹션의 네 번째 열의 자리를 배정받았는데, 베를린영화제와 베니스영화제 집행위원장이 바로 우리 뒤에 앉아 있는 것을 발견하고 깜짝 놀랐다. 놀랍게도 개막식에 영화제를 대표하는 인사들 중에서 가장 중요한 사람들이 앉는 자리를 배정해 준 것이다. 나와 가까운 여러 영화제 집행위원장들이 단 한 번도 칸영화제 개막식에 초청된 적이 없다는 것을 감안해 보면, 그때 얼마나 엄청난 배려가 이루어진 것인지 당시에는 잘 가늠하지 못했다.

칸영화제에서 유럽의 평론가들에게 부산영화제를 소개하는 자리에서 부산이라는 말을 듣고 한 평론가가, 세르비아에 어미가 '산'으로 끝나는 지명이 많은데 그럼 '부산'은 세르비아에 있는 영화제냐고 내게 물어서 어이없는 표정으로 '내가 세르비아 사람처럼 보이냐?'고 대답했던 시절의 이야기다. 칸영화제에서 최고의 예우를 받게 되니 그 다음부터 국제관계는 거의 일사천리였다.

베를린영화제에 가서도, 베니스영화제에서도 개막식에 초대되는 것은 물론이고 늘 VIP석에 배정을 받게 됐다. 그러면서 다른 모든 영화제에서 부산영화제의 위상은 거의 최상급 수준이 돼버렸다. 부산영화제는 준메이저 영화제로서의 내용과 형식을 갖추기도 전에 칸영화제에서 우대를 받으면서, 국제관계에서 메이저 영화제로서 대접을 받은 것이다. 더불어 많은 영화제 인사들 사이에서 김동호 이사장이 한국에서 내로라하는 금융기관의 금융인 출신 집행위원장이라는 루머가 떠돌기도 했다.

리시엥 씨가 김기덕 감독에게 관심을 갖기 시작한 것은 〈수취인 불명Address Unknown〉(2001)을 완성했을 무렵이었다. 내가 그에게 주목할 만한 신인 감독 김기덕에 대한 관심을 가져달라고 부탁하면서였다. 〈수취인 불명〉을 본 리시엥 씨는 영화 속의 다양한 음향효과들이 좀 더 체계적이고 사실적으로 일관되게 구성되어야 한다는 조언을 했고, 감독에게 반드시 그 이야기를 전해주고 싶어했다. 일종의 체계적인 사운드 디자인이 필요하다는 내용이었다.

내가 그의 이야기를 요약해서 간접적으로 김기덕 감독에게 전했으나 김기덕 감독은 귀담아 듣지 않았다. 리시엥 씨가 그의 영화에 예술 고문 역할을 하기 어려운 상황이었다. 사실 그런 것들은 예술영화를 하는 감독들에게 말하거나 전달하기 참 어려운 부분이다. 감독이 자신과 다른 전문적인 견해에 열린 태도를 취하지 않으면, 소통하기 어려운 것은 물론이고 전달하기조차 어려운 경우도 많다. 결과적으로 김기덕 감독의 칸영화제 진출은 조금 늦어지게 된다. 다른 메이저 영화제의 평가를 받은 후에 칸영화제를 가게 된 것이다.

리시엥 씨는 프랑스 누벨바그의 대표적인 감독이자 장르영화의 달인인 클

칸국제영화제의 개막식에서 베를린, 베니스 등 메이저영화제의 집행위원장들은 일층 앞 쪽 열에 좌석을 배정받는다
카를로 차트리안 베를린국제영화제 예술감독과 알베르토 바르베라 베니스국제영화제 집행위원장

로드 샤브롤Claude Chabrol 감독의 〈사촌들Les Cousins〉(1959)과 장 뤽 고다르 감독의 〈네 멋대로 해라À bout de souffle〉(1960)의 조감독으로 활동했고, 장편영화 〈알리비스Alibis〉(1977)와 〈이반과 마리〉를 만든 감독이기도 하다. 그의 강점은 예술영화와 영화 편집에 대해 해박한 지식을 가지고 있다는 것이다. 그렇기 때문에 자신이 예술 고문을 맡아 칸영화제에 초청된 작품의 최종 편집에도 관여하여 작품을 최종적으로 완성시키고 싶어했고, 리시엥 씨와 협업을 한 감독들은 대부분 성공의 길을 걸었다. 대표적인 예가 제인 캠피온Jane Campion 감독이다.

또, 리시엥 씨는 나보다 나이가 이십 년 이상의 손윗사람이었지만 선천성 당뇨를 갖고 있고 다혈질의 성격으로 적지 않은 사람들과 큰 마찰을 빚기도 했었다. 매년 부산에 와서도 몸의 컨디션이 나빴거나 혹은 소통의 오류로 인해 심각한 오해나 몰이해가 발생했겠지만, 적지 않은 사람들에게 성격이 괴팍하고 못되게 구는 사람으로 간주되기도 했다. 나는 상처 받은 사람들을 만나 그들의 고충을 들을 때마다 한국영화를 위해 눈 감아 달라고 달래면서 부탁하곤 했었다.

2002년 임권택 감독의 〈취화선Chihwaseon〉(2002)이 칸영화제 경쟁부문에 초청되고 모든 영화인이 수상을 희구할 때 아무도 예상하지 못했던, 모두를 당혹시키는 사건이 발생한다. 취재를 위해서 기자들도 대거 칸에 왔고 제작사인 태흥영화사의 이태원 대표도 그의 아들을 통해 리시엥 씨와 긴밀히 연락하면서 수상을 위해 할 수 있는 모든 일을 다 하는 분위기였다. 이태원 사장이 이끄는 태흥영화사팀, 한국 기자단 그리고 김동호 이사장과 나는 모두가 한 팀이 되어 공식 상영과 한국영화의 밤 행사에서 모든 노력을 경주해야 하는 상황이었다.

일반적으로 경쟁부문의 공식 상영이 이루어지는 뤼미에르 대극장의 풍경은 마치 월드컵 본선 경기가 열리는 축구경기장처럼, 경쟁작 제작 국가의 영화 관계자들을 포함한 응원단으로 2,400석 규모의 객석이 가득 찬다. 영화가 끝나면 영화감독에게 경의를 표하며 기립박수를 치게 되는데, 보통 반응이 안 좋은 영화는 3, 4분에 그치게 되고 수상이 예견되는 영화들의 경우 7분에서 10분 정도 이어지게 된다. 칸영화제 참가 경험이 많은 전문가들의 속설에 따르면, 7분에서 10분 이상 박수가 이어져야 수상을 기대해 볼 수 있다는 것이다.

어쨌거나 우리는 열심히 공식 상영을 준비해야 하는 상황이었다. 한데 한국 기자들이 의상이 준비가 안 돼 뤼미에르 극장에 입장하지 못 할 것 같다는 이야기를 하며, 중구난방의 행동을 보였다. 대노한 이태원 사장은 카리스마 있는 리더의 모습으로 "모두가 힘을 합쳐야 하는데 무슨 소리냐"며, 비용이 들더라도 모두 드레스코드에 맞게 제대로 옷을 빌려 입고 뤼미에르 극장으로 와달라고 단호히 요구했다. 그만큼 〈취화선〉의 수상을 위해 호의적인 기운을 몰아가는 것이 중요한 상황이었다.

〈취화선〉의 상영이 종료된 후 우리는 관객들과 함께 기립박수를 쳤고, 박수는 약 7분 정도 지속됐다. 결과적으로 전문가 관객들의 호응이 괜찮았던 것이다.

김동호 이사장과 나는 중요한 인사들을 두루 접촉해서 한국영화의 밤에 참석할 수 있도록 연락하는 일에 매진했다. 부산영화제와 가깝고 경쟁부문 심사위원으로 와 있었던 인도네시아의 크리스틴 하킴 배우도 한국영화의 밤에 초대했고, 꼭 참석하겠다는 답을 받았다.

그때 영화진흥위원회에서는 인도의 아시아 영화 전문지 《시네마야Cinemaya》의 발행인이자 편집인 아루나 바수데프Aruna Vasudev를 초대했는데, 바수데프 씨는 부산영화제와도 오랫동안 네트워크를 유지한 사이였다. 그런데 전혀 생각지도 못한 일이 우리를 기다리고 있었다. 영화진흥위원회가 직접 한국영화의 밤에 초청한 바수데프 씨가 리시엥 씨와 적대관계였고, 그 사실을 아는 사람은 아무도 없었다. 영화진흥위원회를 비롯한 모든 이들이 칸과 관련된 정보에 밝은 리시엥 씨의 눈과 입만을 보고 있는 상황에서 말이다.

칸의 해변에서 열린 한국영화의 밤 행사가 시작되기 30분 전 리시엥 씨는 이태원 사장, 임권택 감독, 김동호 이사장과 함께 파안대소를 하며 즐거운 표정으로 도착했고, 김동호 이사장과 나는 심사위원인 크리스틴 하킴 배우를 이태원 사장에게 소개해 주기도 했다. 모든 것이 순조로워 보였다. 영화진흥위원회 위원장과 더불어 행사 주최자들은 입구 쪽 의자에 앉아 있었고, 파티를 시작하기 10분 전쯤 크루아제트 거리 반대편에서 활짝 미소를 지으면서 바수테프 씨가 걸어오는 순간, 모든 것이 얼어붙어 버렸다. 리시엥 씨가 갑자기 소리를 지르면서 "왜 저 여자가 여기에 들어와야 하는가", "〈취화선〉에 무슨 기여를 했다는 것인가", "누가 초대한 것이냐"며 "이 여자가 있는 한 나는 파티에 참석하지 않겠다"고 선언하며 화를 내면서 나가버린 것이다.

사태 파악이 안 된 이태원 사장은 너무나도 당황한 기색이 역력했고, 당시 유길촌 위원장과 김동호 이사장의 놀란 표정이 지금도 눈에 선하다. 급기야 이태원 사장도 당장 리시엥 씨를 데려와 달라고 소리를 지르기 시작하는 상황에 이르렀다. 결국, 이태원 사장이 리시엥 씨의 마음을 돌렸고, 영화진흥위원회 유길촌 위원장이 그녀를 초대한 것에 대해 리시엥 씨에게 무릎 꿇고 사과를 하는 것으로 사태는 마무리되었다.

아루나 바수테프 씨는 프랑스 영화계를 대표하는 알랭 레네Alain Resnais 감독과 함께 프랑스 국립영화학교의 전신 IDHEC L'Institut des Hautes Études Cinématographiques에서 수학한 후, 평론가의 길을 택했다. 불어와 영어에 능통했고 체구는 작지만 여장부 스타일로 아시아 영화계에 중요한 인물이었다. 그런데 그녀가 리시엥 씨와 과거에 극단적으로 여러 번 대립한 적이 있었다는 사실을 알게 된 것은 많은 시간이 지난 후였다.

그 이야기를 굳이 꺼내는 이유는 한번 화가 폭발하면 참지 못하는 리시엥 씨의 괴팍스러움을 설명하기 위함이다. 영화산업지 《버라이어티Variety》의 리뷰어 토드 매카시Todd McCarthy는 리시엥 씨를 주인공으로 한 다큐멘터리 〈미스터 시네마Pierre Rissient: Man of Cinema〉(2007)를 만들었다. 이 사람보다 영화를 더 사랑하는 사람은 없을 것 같다는 느낌을 받을 수 있는 작품이다. 그런데 나는 그 영화를 상영작으로 선정하지 않았다. 왜냐하면 리시엥 씨의 화려한 이력을 보여주는 가운데 마치 임권택 감독의 〈취화선〉의 최종 편집을 리시엥 씨가 주도한 것으로 그려지고 있어, 그것이 임권택 감독과 〈취화선〉을 편집한 박순덕 기사에게 누를 끼칠 것 같은 내용이 있었기 때문이다. 리시엥 씨는 그 다큐멘터리를 부산에서 꼭 상영했으면 좋겠다고 내게 간곡한 부탁을 했지만 거절할 수밖에 없었다. 그럼에도 리시엥 씨는 내게 서운하다는 내색은 결코 하지 않았다. 그에 대해 우리는 서로 깊이 이야기를 나누지는 않았지만, 그도 내 입장을 상당히 이해하고 있는 것 같은 느낌이었다. 그냥 선의로만 해석하자면, 그는 아마 좋은 작품의 칸영화제 상영을 적극적으로 도우면서 작은 역할이라도 본인이 그 작품에 기여했다는 흔적을 남기고 싶다는 바람이었을 것이다.

한국영화에 대해서 그만큼 애정이 있는 사람은 과거에도 없었고 앞으로도 없을 거라고 단언할 수 있다. 칸영화제 경쟁부문 공식 상영 중 오후 4시 이후의 상영에 입장하기 위해서는 남자의 경우 블랙타이 또는 전통 의상, 여자의 경우는 이브닝드레스가 드레스코드로 정해져 있는데, 리시엥 씨는 칸국제영화제 경쟁부문에 한국영화 상영이 있는 날이면 꼭 개량 한복을 입고 뤼미에르 극장의 입구로 향하는 레드카펫이 깔린 계단을 오를 정도로 한국 사랑이 넘치는 사람이었다.

쿠엔틴 타란티노Quentin Tarantino 감독이 부산영화제를 찾게 된 데도 리시엥 씨가 큰 역할을 했다. 나는 그동안 타란티노 감독을 꼭 부산영화제에 데려오고 싶다고 리시엥 씨에게 말하곤 했는데, 그때마다 그는 늘 같은 조언을 했다. "제이, 네가 직접 만나서 부산에 와야 한다고 말해야 해. 제일 중요한 건 부산과 네가 얼마나 예술영화를 사랑하는지 만나서 페이스 투 페이스 커뮤니케이션을 하는 거야." 영화제에 국제적인 영화인을 초청하는데 초청 조건 이상으로 중요한 것을 리시엥 씨가 가르쳐 준 것이다.

2009년 타란티노 감독이 〈바스터즈: 거친 녀석들Inglourious Basterds〉(2009)을 가지고 칸영화제에 왔을 때였다. 어떻게 하면 타란티노 감독을 부산에 데려올 수 있을까 고심을 하던 중, 리시엥 씨는 혹시 타란티노 감독이 들를지 모르니 김동호 이사장과 함께 가스통 가스투네트La Paillote de Gaston Gastounette로 저녁 7시까지 오라고 했다. 그 자리는 리시엥 씨와 가까우며 칸에 매년 오는 미국인 친구들이 있는 자리로, 〈미스터 시네마〉를 만든 토드 매카시 감독, 뉴욕영화제 리차드 페나Richard Peña 집행위원장, 그리고 리시엥 씨가 함께하는 자리였다. 김동호 이사장과 같이 합류해 네 시간을 함께 있었는데, 어림잡아 세 시간을 타란티노 감독이 혼자 이야기했다. 미국인 세 명에 프랑스인 한 명, 그리고 한국인 두 명이 함께한 자리는 타란티노 감독으로부터 끝없이 언급되는 미국의 B급 장르영화에 나오는 조연들과 단역들의 이름을 익히는 시간이었다.

조연과 단역들의 이름까지 자세히 언급되다 보니 서서히 들리지 않거나 놓치는 부분이 많아졌고, 마치 영화의 크레딧을 보는 듯한 느낌이 지속됐다. 타란티노 감독은 상대가 알아듣는지 여부와 관계없이, 개의치 않고 하고 싶은 이야기를 다 할 때까지 끊임이 없었고, 크레딧에 나오는 모든 이름들을 나열하는 것 같았다. 나중에 들은 이야기로는 타란티노 감독은 원래 영화 이야기를 하면서 크레딧에 오른 많은 사람들의 이름을 습관적으로 나열한다고 한다. 타란티노 감독과의 네 시간은 그의 모든 이야기를 다 들어주는, 굉장히 지루하면서도 재밌는 시간이었다.

헤어지기 전 나는 타란티노 감독에게 부산에 꼭 와야 한다는 말을 남겼다. 타란티노 감독의 머리에 우리의 존재가 각인됐던 것일까. 2013년 타란티노 감독이 거짓말처럼 부산영화제를 방문하게 된다. 그 때, 타란티노 감독은 대만 어느 기관의 초청으로 타이페이에 있었다. 어느 날 문득, 타란티노 감독에게서 영화제 대표 계정으로 메일이 날아왔다. 타이페이에 와 있는데 상황이 되면 부산에 가겠다며, 부산은 아무것도 준비할 필요가 없고 자신이 다 알아서 하겠다면서 호텔도 자신이 구하겠다는 내용이었다. 타이페이에 왔는데 가까운 한국, 부산영화제 사람들이 생각이 났던 것이다. 우리는 봉준호 감독과의 오픈 토크를 준비했고, 칸에서의 대화처럼 조연과 단역까지 언급될 경우 누가 통역을 매끄럽게 할 수 있을지 고심하며 조영정 프로그래머에게 모더레이터 겸 통역을 맡겼다.

결국 그 모든 일은 리시엥 씨 덕분에 이루어진 것이다. 미국에 있는 타란티노 감독을 초청하려 했다면 긴 시간을 할애하는 노력과 많은 예산이 필요했을 텐데, 칸에서의 저녁 식사값만 내고 그를 초청하게 된 셈이다.

리시엥 씨는 한국영화 최초로 〈취화선〉으로 칸영화제 감독상을 수상한 임권택 감독과 홍상수, 봉준호, 이창동 감독 등 한국영화가 칸에 소개되고 전 세계에 알려지는 데 기여한 공로로 2002년 옥관문화훈장을 받았다.

그 후에 칸영화제 티에리 프레모 집행위원장, 베를린영화제 디터 코슬릭 Dieter Kosslick 집행위원장, 베니스영화제 알베르토 바르베라 집행위원장이 은관문화훈장을 수상했는데 리시엥 씨가 그들과 어깨를 나란히 할 정도로 공로가 있다는 평가를 우리 정부로부터 받은 것이다.

2016년 10월 8일 오후 파리 동쪽 지역에 있는 뷔테쇼몽 재활진료소에 입원 중인 리시엥 씨를 찾았다. 부산영화제 사태와 나에 대한 걱정으로 안타까

이창동 감독(좌), 피에르 리시엥(중), 이준동 대표(우)

워하던 리시엥 씨가 파리에 올 경우 꼭 만나고 싶다는 메일을 보내왔기 때문이다. 미국에서 복숭아뼈 골절을 당하고 쓰러진 후 오랜 기간 입원 치료를 받고 있지만 고령이고 당뇨병 후유증으로 인해 회복이 쉽지 않은 상황이었다. 그러나 그의 안색은 내가 생각했던 것보다 훨씬 좋은 편이었다.

우리는 1시간 반 동안 많은 대화를 했고, 가능하면 리옹에서 열리는 뤼미에르영화제에서 다시 만나자고 약속했다. 돌아서서 전철역까지 먼 거리를 걸을 때 그와 함께했던 즐거웠던 순간들이 주마등처럼 머릿속을 스쳐갔다. 큰 나이 차에도 불구하고 친구가 될 수 있었던 건 아마도 한국영화에 대한 생각을 공유했고 서로의 영화관이 비교적 잘 맞는 데다, 유럽인과 잘 어울리는 나의 기질 때문이었을 것이다.

아마도 그의 조력이 없었다면 신상옥 감독이 탈북 후 국제적으로 재조명을 받는 일도 없었을 것이고, 〈취화선〉의 영광도 없었을 것이며, 타란티노 감독이 부산을 찾은 일도 없었을 것이다. 혹자는 그의 불같은 성격으로 인해 불편함을 겪고 공격을 받기도 해 그를 싫어하지만, 그보다 더 한국영화를 사랑한 사람은 없었기 때문에 나는 그를 옹호하고 싶다.

오랫동안 리시엥 씨의 조수였고, 독립해서 칸영화제 감독 주간 아시아담당 프로그래머로 활동했으며, 지금은 감독 주간의 프로그램 자문위원으로 활동하고 있는 뱅자맹 이요스Benjamin Illos 씨와의 인연이 지금까지 이어지고 있는 것도 알고 보면 리시엥 씨 덕분이다.

2021년 3월, 리시엥 씨의 추도식에서 조사를 읽었던 리시엥 씨의 막역한 벗, 베르트랑 타베르니에 감독의 타계 소식을 접했다. 1970년대 말부터

1980년대 중반까지 서울특별시 종로구 사간동에 위치했던 프랑스문화원 지하 상영관에서 누벨바그 영화들에 심취해 있던 시기에 만난 베르트랑 타베르니에 감독의 초기 작품들, 〈생폴의 시계상The Clock maker of St. Paul〉(1974), 〈판사와 암살자The Judge and The Assassin〉(1976) , 〈시골에서의 일요일A Sunday in the Country〉(1984)을 보면서 타베르니에 감독의 사회 의식에 동감했고, 장 르누아르 감독을 찬미하는 그의 영화사랑에 공감했던 영화청년 시절이 있었다.

20년 후 파리에서 그를 만나 부산영화제에서 그의 회고전을 개최하기 위한 세부적인 논의를 한 것은 우연일까, 아니면 필연일까? 결과적으로 뉴욕영화제에서 그의 특별전이 먼저 확정되면서 나의 계획은 무산됐지만, 그와 리시엥 씨와 함께 여러 번 만나 나눈 영화에 대한 대화는 지금도 기억에 남아 있다.

그가 천국에 있는 영화 팡테옹에서 절친한 벗인 리시엥 씨와 함께 영화에 대한 문답을 교환하고 있으리라고 믿는다.

세자르상

세자르상
프랑스의 아카데미 시상식으로 불리는 프랑스에서 가장 권위있는 영화 시상식이다. 매년 프랑스 영화계의 우수한 영화와 영화인들을 만날 수 있다.

부산국제영화제 초기 때, 국제영화제의 프로그래밍과 운영에서 프랑스 영화와 프랑스 영화인 초청이 매우 중요하다는 것을 깨닫고 나는 주한프랑스대사관의 주선으로 프랑스의 아카데미상이라고 하는 세자르상Cesar Awards 시상식에 참가하게 된다. 당시 내게 호감을 갖고 있던 주한프랑스대사관의 문정관이 세자르상 조직위원회에 부산영화제와 나를 소개하는 추천서를 작성해 초청장을 받을 수 있게 해 주었다. 세자르상 수상자들을 잠시라도 만나서 얘기할 기회가 주어진다면 무조건 부산영화제에 참가해 달라고 청할 생각이었다.

1998년 나는 샤틀레 극장Théâtre du Châtelet에서 열리는 제22회 세자르상 시상식 초청장과 시상식의 필수복장인 턱시도를 가방에 챙겨 넣고, 거래 은행에 가서 독일 마르크화와, 네덜란드 길더화로 450만 원을 환전했다.

빠듯한 출장비 내에서 물가가 비싼 파리에 머물려면, 리셉션이나 고객용 세이프티 박스도 없고 객실 안에 개인 금고도 없는 2성급 호텔에서 묵어야만 했다. 지금 생각하면 믿기 어려운 이야기지만 늘 거액의 현금을 들고 미팅을 나가는 바보 같은 일상을 반복하는 나날이었다.

나는 늘 부산영화제나 한국을 대표하는 사람이라는 생각을 품고 있었다. 동시에 신생 영화제에서 온 사람으로 무시당하지 않으려고 누구를 만나든 늘 차와 식사는 내가 대접했다. 그렇지만 개인적으로 활동할 때는 택시를 타는 일이 거의 없었고, 혼자서 값비싼 레스토랑에서 식사를 하는 등의 호사를 누리는 일도 결코 없이 검박한 생활을 유지했다.

예나 지금이나 치안이 별로 좋지 않은 파리에서, 화려함과 평범함이 얽혀 있는 나의 이분법적이고 엇박자를 타는 삶에 경고등이 드리운 일이 발생한다. 드레스코드에 맞추어 블랙타이에 트렌치코트를 걸치고, 찢어질 듯이 외화로 가득 찬 지갑을 바지 주머니에 넣은 채 세자르상 시상식장으로 향했다. 언제나처럼 돈을 절약하겠다고 지하철을 탔는데, 지하철에서 삼인조 소매치기의 기습을 받게 된다.

파리의 지하철은 국내와 달리 연결된 차량 사이를 서로 오갈 수 없고, 차량의 크기도 매우 작은 편이다. 따라서 차량에 너무 많은 사람들이 탑승한 것이 아니라면 차량 안에 있는 모든 사람들을 어느 정도는 다 파악할 수 있을 정도로 작고 좁다.

삼인조 중 키가 작고 동작이 날랜 친구가 문 쪽에 비스듬히 기대 서 있는 내 쪽으로 몸을 부딪혀 왔고, 그 순간 이미 그의 손이 내 왼쪽 가슴 안주머니에 들어와 있는 것을 느꼈다. 순간 나는 그의 어깨를 붙잡고 주저앉아 버리고 말았다. 짧은 순간 차량의 왼편과 오른편 문 쪽으로 키가 큰 아랍인 둘이 서 있는 게 보였다. 얼떨결에 같이 엎어지게 되면서 나를 공격해온 친구는 자신이 실패했다는 것을 깨닫고 빠져 나가려고 하는 것처럼 보였다. 그 순간 나는 그의 다리를 잠시 붙잡았으나, 그의 필사적인 움직임에 위협을 느껴 놓아주었다. 정말 다행스러운 것은 그가 칼을 소지하지 않았다는 것이다. 그때 나와 동행하고 있던 채희승 대표(당시 《씨네21》 객원기자)가 몸이 얼어붙은 듯 속수무책으로 나를 바라보고 있었다. 나를 공격했던 친구는 그의 작전이 실패했으며, 또 내게 동료가 있다는 것을 알아차렸다. 곧 지하철은 다음 역에 도착했고, 문이 열리자 소매치기를 시도했던 친구는 잰 동작으로 나머지 두 동료와 같이 빠져나갔다. 세 명은 대어를 거의 다 낚았다가 놓쳤다는 표정으로 기차 창문 너머 우리를 멀리서 계속 바라보고 있었다.

그나마 파리의 길고 후미진 환승 통로가 아닌 지하철 안에서 만났기에 지갑을 지킬 수 있었다. 그 때 만약 소매치기단에게 지갑을 빼앗겼더라면, 아마도 나는 파리와 베를린에서 거지꼴로 살았을 것이다. 지금도 그때를 생각하면 아찔하다.

놀란 가슴도 잠시, 나는 훌훌 털고 세자르상 시상식에 참가해 많은 프랑스 영화인들과 인사를 나눴고 즐거운 저녁 시간을 보냈다. 정말 극적이고 운수 좋은 날이었다.

매년 2월에 파리에 가야하는 이유

칸국제영화제
75년 역사를 자랑하는 명실상부한 세계 최고의 국제영화제이다.
세계 최대의 마켓인 칸필름마켓과 함께 매년 5월 중순에 개최된다.

부산국제영화제에서 일하면서 이십여 년 동안 계속된 나의 겨울 출장 일정은, 베를린에 가기 전 파리를 거쳐 칸국제영화제 위원장들을 만나고 베를린국제영화제로 가는 것이었다. 메이저 영화제 집행위원장들 그리고 다른 국제영화제 집행위원장들과 관계를 맺고, 그들에게 영화제를 방문할 때마다 한국영화의 전도사로서의 나를 각인시켜주기 위해 선물을 가져가곤 했다. 한국적인 특성을 가지고 있는 물품들을 주로 선택했는데 한국영화 DVD, 소형 도자기, 홍삼, 넥타이, 레이저로 이름을 새긴 방짜유기 수저세트 등을 주로 선물했다. 상대방의 이름이 새겨져 있는 방짜 수저는 중가품이지만 유럽의 귀족들이 애용하는 전통적인 이름이 새겨져 있는 명품과 같은 효과를 내기 때문에 반응이 아주 좋았다.

칸영화제 질 자콥 집행위원장의 재임 기간이 너무 길어지고 칸 선정위원회에 자콥 위원장의 아들이 포진하게 되자, 자콥 집안이 칸영화제를 장악했다는 프랑스 여론의 비판이 거세졌다. 자콥 위원장은 자의 반 타의반으로 여

칸영화제 티에리 프레모 집행위원장

칸영화제 시상식 초청장

론에 등 떠밀려 예술영화에 열정을 쏟을 새로운 집행위원장을 영입하기로 결심했다고 한다. 그의 선택은 리옹 시네마테크의 프로그래머로 활동했지만 프랑스 영화계의 주류 인사들과는 거리가 있었던 참신한 인물이었다. 프레모 위원장은 지금도 리옹에서 매년 10월 말에 열리는 뤼미에르영화제 집행위원장을 겸직하고 있으며, 리옹과의 인연을 이어가고 있다.

파리에 갈 때마다 프레모 위원장은 그의 맛집 막심Maxime 레스토랑에서 점심을 사곤 했다. 이따금 리우데자네이루국제영화제Rio de Janeiro International Film Festival의 일다 산티아고Ilda Santiago 집행위원장이 동석했고, 아시아의 저명한 감독 등이 함께 하기도 했다. 레스토랑에서 리시엥 씨는 항상 '페리에'보다 훨씬 비싼 탄산수 '샤텔동'을 주문하곤 했다. 그것은 단순히 점심만을 먹기 위한 자리는 아니고, 그해 칸에 선정될 만한, 칸이 주목할만한 한국영화를 소개하는 자리였다. 거기서 프레모 위원장과 한국영화에 관한 정보를 공유하는데, 언급되는 영화들은 칸영화제 본부에 곧 도착할 영화들 중 극히 일부이다. 우리가 파리를 방문하는 시기는 베를린영화제 직전인 2월 초이고, 칸영화제 본부에 출품작이 도착하는 시점은 2월 말쯤이다. 작고한 김기덕 감독은 신작이 임시로 완결이 되면 러프컷이나마 바로 칸영화제 본부로 보내곤 했고, 2020년 2월에도 마찬가지였다. 크리스티앙 죈 영화부문 위원장이 언제나 그 사실을 나에게 확인해 주었다.

해마다 2월이 되면 내가 아니더라도 누군가는 반드시 파리에 가야 한다. 지난 15년 동안 이어온 2월의 칸영화제 파리 본부 방문이 매우 유의미한 작업이라고 나는 굳게 믿고 있으며, 앞으로도 계속되어야 한다고 생각한다.

부산국제영화제 조직위원장

부산국제영화제
1996년에 창설된 아시아 최대의 국제영화제. 2010년까지 절정기를 맞았으나 2014년에 시작된 부산국제영화제 사태로 인해 정체 국면이 지속되고 있다.

2012년 봄 부산광역시로부터 조직위원장인 허남식 시장이 유럽 출장에 맞추어 칸국제영화제 방문 계획을 구체화시켰다는 말을 전해 들었다. 일주일 후에 그의 구체적인 출장 계획을 볼 수 있었고, 큰 어려움이 예상되는 일정 하나를 발견했다. 그것은 다름 아닌 '칸영화제 티에리 프레모 집행위원장 예방 및 사진 촬영'이었다. 프레모 위원장이 영화인이 아닌 정치인들과의 만남을 극도로 꺼린다는 것을 잘 알고 있었던 나로서는 난감한 일이 아닐 수 없었다. 해마다 개막식 참석을 요구하는 주프랑스 미국대사의 요청 역시 일언지하에 거절하곤 했다고 한다.

경쟁부문에 초대된 홍상수 감독의 〈다른 나라에서In Another Country〉(2011) 공식 상영을 관람하고 프레모 위원장과 만나는 일이 결국 허 시장의 가장 중요한 공식 스케줄이었는데, 공교롭게도 최광식 문화체육관광부 장관도 칸영화제를 찾으면서 영화진흥위원회 직원들을 앞세워 칸 집행위원장과의 만남을 반드시 성사시키려고 시도하고 있었다. 예상컨대 두 요청이 모두 거절될

가능성이 매우 높아 보였으며, 현실적으로 프레모 위원장과의 만남은 불투명해 보였다.

그러나 나는 시장의 비서실장이 무리한 계획을 짰기 때문에 어쩔 수 없었다는 식의 무기력한 핑계를 대고 싶지는 않았다. 칸에 도착한 다음날부터 3일 동안 스크리닝과 미팅 등 모든 일정을 다 취소하고, 주요한 국제영화제 집행위원장들과 대표자들만 참석하는 국제영화제작자연맹Fédération Internationale des Associations de Producteurs de Films 회의만 참석하기로 했다. 그리고 프레모 위원장과의 약속을 잡기 위해 3일 내내 시도 때도 없이 크리스티앙 죈 영화부문 위원장을 찾아갔다. 크리스티앙은 내 발자국 소리만 들어도 심약한 모습을 보이며 놀랄 정도였는데 그럴 때마다 나는 공포영화에 나올법한 목소리로 "나야, 크리스티앙C'est moi, Christian" 하고 크리스티앙에게 장난을 치며 다가갔다. 3일 동안 그의 대답은 한결같았다. 아주 바쁜 와중에도 여러 차례 프레모 위원장에게 말했는데, 답을 주지 않는다는 것이다. 삼 일째 되는 날 저녁, 이젠 어쩔 수 없이 포기해야 하나 하던 중 크리스티앙으로부터 메일이 왔다. 프레모 위원장이 부산의 친구들을 배려해서 부산시장을 만나기로 했다는 것이다.

다음 날, 허남식 시장은 자신이 원하는 시각에 프레모 위원장을 예방할 수 있었고 함께 인증샷도 찍었다. 프레모 위원장은 부산영화제와 부산에 대한 좋은 이야기를 시장에게 전달했고, 우리가 그의 방을 떠날 때 오른쪽 주머니에서 작은 열쇠를 꺼냈다. 자신의 영화인 친구들만 이용하는 문이라는 설명을 덧붙이며, 나도 처음보는 복도로 바로 연결되는 문을 열고 우리를 배웅했다.

허 시장의 얼굴에는 만족스러운 표정이 번져 나왔다. 그것을 확인한 나는 너무 고맙다는 인사를 하려고 다시 크리스티앙의 방으로 갔는데, 나를 본 크리스티앙은 또 무슨 일이 있냐며 깜짝 놀라는 모습이었다. 내가 고맙다는 말을 덧붙이니 그제서야 그는 안도하는 표정이었다.

크리스티앙 죈

크리스티앙 죈의 직책은 칸국제영화제 영화부문 디렉터다. 그는 칸의 경쟁부문에 출품된 작품들 약 2,000여 편을 선정위원회 위원들이 원활하게 스크리닝을 할 수 있도록 총괄하는 디렉터 겸 주목할 만한 시선 부문의 작품을 선정하는 일을 한다. 칸영화제 시상식이 있는 날에는 사무실 문을 걸어 잠그고 시상식 준비를 한다. 수상 감독에게 수여될 상장의 서체를 직접 쓰기도 하는데 언젠가 한 번 급한 일로 그의 사무실 문을 두들기다가 잠시 열린 문 틈으로 그 장면을 본 적이 있다. 2월 초에 파리의 칸영화제 본부를 방문할 때마다 크리스티앙은 북아프리카 및 지중해 음식과 차를 제공하는 근처 카페 바바에서 항상 내게 점심을 사곤 했다.

크리스티앙은 한국 영화계에 친구가 많고 어진 인성을 가진 프랑스인이다. 칸에 가기 전에 배지나 호텔 관련해서 시도 때도 없이 문의하고 부탁하는 친구이기도 하고, 칸에서 참석하는 개막식과 시상식에서의 나의 좌석 배정도 크리스티앙이 맡고 있다. 한국영화가 경쟁부문에 있을 때나 없을 때나 크리스티앙은 모든 상황을 감안해서 절묘하게 내 자리를 배정해 준다. 한국영화 수상자가 있을 경우 1층에 수상자와 멀지 않은 거리에 자리를 마련해 주고, 프랑스 수상자가 있을 경우 파리에서 참석하는 프랑스 영화인들이 많기 때문에 좀 거리가 있는 1층 뒷자리를 배정해 주곤 한다.

언젠가 시상식에서는 제일 앞 첫 열, 카메라맨 바로 앞의 좌석을 배정해 주었는데, 무슨 일인가 했더니 감독이 수상 호명을 받고 바쁜 걸음으로 무대로 올라가기 직전 내 앞에서 악수를 하거나 가까이에서 사진을 찍을 수 있는 자리였다. 그때가 2013년 문병곤 감독이 〈세이프Safe〉(2013)로 단편 경쟁부문 황금종려상을 받았을 때였다. 나는 문 감독과 포옹을 하고 악수를 했으며 그가 시상자인 제인 캠피온 감독과 무대 위에 나란히 서 있는 모습을 사진으로 담을 수 있었다. 2019년 봉준호 감독이 〈기생충Parasite〉으로 황금종려상을 수상했을 때도 나는 바로 그의 옆에서 봉준호 감독의 환희에 넘치는 모습을 동영상으로 생생하게 찍을 수 있었다.

칸영화제에서 〈기생충〉의 황금종려상 수상 직후 폐막 리셉션에서 만난 봉준호 감독

2019년 2월 퐁피두센터에서 멀지 않은 칸영화제 본부를 방문했다. 5층엔 칸 필름마켓이 입주해 있고 전망이 좋은 6층에는 영화제 사무실들이 있다.

영화 부문 위원장인 크리스티앙이 사무실에 있는 직원들을 일일이 소개한 후 자신의 방으로 나를 데리고 갔다. 박찬욱 감독의 작품 〈아가씨The Handmaiden〉(2016) 포스터가 눈에 띄었다. 그는 프레모 집행위원장이 갑자기 페드로 알모도바르 감독을 만나 그의 신작 〈페인 앤 글로리Pain and Glory〉(2019)를 보기 위해 마드리드로 가게 되면서, 점심 약속을 지키지 못하게 돼 미안해 한다는 말을 전했고 프레모 위원장의 방도 구경시켜 주었다.

모로코식 프랑스 식당으로 자리를 옮겨서 우리는 칸영화제 경쟁부문에 도전하는 한국영화들에 대한 대화를 이어갔다. 크리스티앙은 김기덕 감독이 카자흐스탄에서 찍은 신작을 그날 아침에 받았고 봉준호 감독의 영화도 기다리고 있다고 말했다.

황금종려상을 수상하고 밝게 웃는 문병곤 감독과 시상자 제인 캠피온 감독

파리의 집행위원장들

베를린으로 향하기 하루 전, 두 달 전부터 메일을 주고받으면서 확약을 받은 가장 중요한 두 개의 약속이 있는 날이다. 오전 11시 반에 감베타 역에서 가까운 카페 레푸드르Les Foudres에서 로카르노영화제 신임 예술감독 릴리 힌스턴Lili Hinston 씨를 만나기로 했다. 그녀의 성은 프랑스 이름이 아닌 영어 이름이라 프랑스 사람들은 모두 발음하는 데 어려움을 느낀다고 한다. 초등학교에 다니는 어린 아들을 데리고 나온 그녀는 나를 보자마자 밝은 미소를 지었다.

송강호 배우가 로카르노영화제에서 평생공로상을 수상(2019년)한 이야기로 대화는 시작됐다. 나는 '한국영화를 대표하는 감독들의 동반자' 정도로 과소평가된 송강호 배우를, 한국영화를 대표하는 또 다른 인물로 정당하게 평가하고 영예를 선사한 건 로카르노영화제만이 할 수 있는 일이었다고 화답했다. 30여 분 동안 부산국제영화제와 로카르노영화제와의 협업, 코로나바이러스19로 인해 연기되거나 큰 타격을 받고 있는 홍콩과 중국의 영화 행사들, 부산 방문 등에 대한 의견을 나눈 후 베를린국제영화제 개막식에서 다

〈올드보이〉 팀 레드카펫 롤링 직전 그레이달비온 호텔에서

시 만나기로 하고 다음 장소로 가기 위해 카페를 나섰다.

오후 1시 8호선 퓌으뒤칼베르Filles du Calvaire 역 근처에 있는 칸국제영화제 본부와 가까운 카페 바바에서 크리스티앙과 점심 식사를 하면서 한국영화 신작들과 베를린영화제에 대한 이야기를 이어 갔다.

크리스티앙은 김기덕 감독, 임상수 감독, 연상호 감독 등의 신작들이 막 도착했거나 도착할 거라고 귀띔을 해 주었다. 커피를 마신 후 프레모 위원장을 만나기 위해 칸영화제 본부로 올라갔다. 반가운 포옹으로 나를 반긴 프레모 위원장은 다소 흥분되고 섭섭함이 담긴 듯한 어조로 입을 열었다. 〈기생충〉과 봉준호 감독이 거둔 아카데미 시상식에서의 영광이 애초에 칸에서 발원이 된 것인데 왜 칸의 존재감은 사라진 것이냐며, 원망의 대상이 구체화되지 않은 불만을 토로했다. 크리스티앙에게서 프레모 위원장이 〈기생충〉과 〈레미제라블Les Misérables〉을 응원하기 위해 할리우드를 다녀왔다는 말을 들은 나는, 부분적으로만 사실이거나 나만의 주관적인 생각일 수도 있는 말을 그에게 전했다. 한국의 언론은 아카데미에서의 기적과 칸에서의 영광을 함께 자주 언급하고 있으며, 우리 한국 영화인들은 늘 칸에 감사함을 느끼고 있고 아마도 죽을 때까지 그 은혜를 잊지 않을 거라는 말을 건넸다. 아주 짧은 순간 그의 입가에 미소가 감도는 걸 볼 수 있었다.

프레모 위원장은 구체적인 작품들을 거론하진 않았지만 주목할 영화가 별로 없는 미국영화와는 달리 한국영화 중에는 관심이 가는 영화들이 있다는 긍정적인 전망을 덧붙이면서 '칸 클래식' 출품 마감이 한 달도 채 남지 않았으니 서둘러야 한다고 조언했다.

두 친구의 환대를 뒤로하고 사무실을 나설 때 머지않아 나의 뒤를 이어 한국영화의 본격적인 세계화를 선도할 인물은 한국영화와 세계영화에 대해 해박하고 영어와 불어를 잘하는 친화력이 뛰어난, 기왕이면 여성이면 좋겠다는 생각이 문득 들었다. 칸영화제와의 밀월 관계는 계속되어야 하며, 한국 영화계는 지속적으로 또 다른 봉준호, 박찬욱, 이창동 감독을 배출해야 한다. 한 번의 대성공에 결코 만족하지 말아야 하고, 유럽에는 칸의 황금종려상을 두 번 이상 받은 감독이 여러 명 있다는 것을 유념해야 한다. 또, 영화진흥위원회나 국내의 국제영화제는 한국영화를 세계로 보내야 하는 소명을 한시라도 잊어서는 안 된다.

몽트레이유Montreuil시의 공공영화관 르 멜리에스Le Méliès at Montreuil

Le Méliès
CINÉMA PUBLIC

공공영화관 '르 멜리에스'

베를린국제영화제 직전 파리에서의 이틀을 보람되게 보내기 위해서 부산 영화의전당의 미래가 될 수도 있는 공공영화관 '르 멜리에스'를 둘러보기 위해 갔다. 그 영화관은 전철 9호선 종점 마리 드 몽트레이유Mairie de Montreuil 출구 바로 앞에 공공연극관과 나란히 위치해 있다.

르 멜리에스는 왜 프랑스가 예술과 문화에서 가장 위대한 선도국인지를 가시적으로 보여준다. 입장료 6유로만 내면 6개 스크린에서 유럽, 아시아, 아프리카에서 만들어진 다양한 문화권의 아트하우스 영화들을 그 어느 나라보다도 빠르게 볼 수 있다. 가난한 관객과 영화학도들도 영화 향유의 권리를 누릴 수 있는 것. 화요일 입장료는 불과 3.5유로이다. 영화의전당을 구체화시킬 때인 10여 년 전 놓쳤던 운영에 관한 세부안들이 후회스럽게도 이제야, 여기서 많이 보인다.

프렌치나이트

부산국제영화제의 '프렌치나이트'는 목요일 영화제가 개막한 후 첫째 주 토요일 밤에 열리는 행사다. 프렌치나이트는 프랑스 영화 상영과 리셉션으로 이어지는데 주한프랑스대사가 참석하고 프랑스 영화문화와 관련돼 활동하거나 프랑스영화에 관심이 있는 많은 사람들이 함께하는 자리다. 부산영화제에서는 프렌치나이트 행사를 영화제 기간 중 가장 중요한 시간대에 배치한다. 지금은 유니프랑스UniFrance와 주한프랑스대사관과의 협업이 순조롭게 진행되지만 처음부터 그랬던 것은 아니었다.

내게 세자르상 시상식 참석을 권한 주한프랑스대사관 문정관이 영국으로 부임하게 되면서 그의 후임으로 S씨가 부임했다. 외교관 출신인 그는 캄보디아에서 근무를 마치고 한국으로 왔는데 매우 권위적인 태도를 지닌 사람이었다. 그는 부산영화제 기간 중 프랑스대사관 주최로 독자적인 프렌치 페스티벌을 만들고자 했다. 전임자와의 협업이 매끄러웠던 것과 달리 그와의 미팅에서는 대화가 잘 풀리지 않았고, 일의 진행은 알 수 없는 다른 양상으로 진행되었다. 그가 나와는 매우 다른 의도를 지니고 있었기 때문이었다.

그의 속셈을 파악한 나는 부산영화제 안에 작은 프랑스영화제를 만들고자 했던 그의 제안을 단호히 거절했고, 영화제의 자율성을 해치는 모든 행위를 용납하지 않겠다고 공언했다. 그 당시 일본대사관에서도 비슷한 속셈을 갖고 소액의 협찬을 제안하면서 비슷한 시도를 감행했는데, 외교적인 수사가 오가는 소극적인 대응으로는 영화제가 외국공관들에게 이용당하는 신세로 전락할 수도 있는 상황이었다. 따라서 부산영화제의 단호한 입장을 밝히는 것은 불가피했고, 나의 그런 행동은 프랑스대사관 입장에서 볼 때는 매우 공격적이며 불쾌한 반응으로 읽혔을 수도 있을 것이다.

이처럼 국제관계는 늘 어려운 것이지만 부산영화제의 자주성을 지키기 위해서는 어쩔 수 없었다. 그와 달리 권위주의와는 거리가 멀고 실용적인 프랑스의 대표적인 영화기관 유니프랑스와의 협업은 아무런 문제 없이 잘 진행되었다. 부산영화제의 자율성은 지켰지만 프랑스대사관에 내가 몹쓸 사람이 되는 개인적인 손해는 불가피했다. 아마도 내가 지난 이십여 년 이상 한·불 영화문화 교류에 크게 기여했음에도 이렇다 할 수훈을 받지 못한 연유는 그때 내가 그들에게 보여준 비외교적인 태도 때문일 것이다.

나중에 김동호 이사장은 프랑스 정부로부터 총 세 개의 문화 훈장을 수훈하게 되는데, 세 번째 훈장을 받을 때 그는 프랑스 대사의 공로사에 대한 답사를 하면서 "사실 이 훈장은 제이 전이 받아야 한다"고 말하기도 했다. 내가 프랑스영화에 대해서 얼마나 공을 들였는지 아시기에 하신 말씀이었을 것이다.

요코하마-프랑스영화제

요코하마-프랑스영화제
프랑스영화를 대표하는 영화인들이 일본 관객들에게 한 해에 제작된 최고의 프랑스영화들을 직접 소개하는 영화제의 성격을 유지하다가 최근에는 프랑스영화와 일본영화의 교류의 장으로 전환하여 운영하고 있다.

내가 국제영화제를 운영하는 데 프랑스 영화의 중요성을 느끼고 공을 들이게 된 데는, 앞서 언급한 테살로니키국제영화제의 미셸 데모푸로스 집행위원장의 영향과 함께 또 하나의 중요한 경험이 있다. 부산국제영화제 초기인 1997년 도쿄 인근의 요코하마시에서 열리는 요코하마-프랑스영화제에 참가한 적이 있다. 그 영화제는 1980년대에 창설됐지만 프랑스와의 협업은 1994년에 시작되었다.

당시 요코하마영화제는 6억 원 정도의 예산으로 개최됐고, 전체 예산은 요코하마시와 프랑스의 유니프랑스가 반반씩 부담했다고 한다. 예컨대 유니프랑스가 참가한 프랑스 아티스트들의 항공료를 부담하는 방식이었다. 주한프랑스대사관에서 내가 요코하마영화제의 초청장을 받을 수 있게 도와주었다. 영화제는 고풍스러운 범선 위에서 리셉션을 개최하고, 칸국제영화제처럼 드레스코드를 블랙타이로 하는 등 화려한 외관을 보여주었다. 당시 유니프랑스 입장에서 볼 때 극동에서 가장 큰 시장인 일본과 한국을 관리하기 위해서 한국의 영화 담당 기자들까지 초청하기도 했다. 그 후로 요코하마시가 예산을 감당할 여력이 안 되면서 영화제는 한동안 중단되기도 했다. 당시는 일본의 영화시장 매출액이 한국시장 대비 세 배에서 다섯 배까지 차이가 나던 시절이었는데, 지금은 거의 일본과 한국의 영화 시장이 대등한 수준이 되었으니 격세지감을 느낀다.

프라이빗 스크리닝

산세바스티안국제영화제
스페인어를 사용하는 라틴 아메리카의 많은 나라들의 구심점 역할을 하는 경쟁영화제이다. 제70회 산세바스티안국제영화제는 9월 16일부터 9월 24일까지 쿠르살빌딩에서 개최된다.

베를린, 베니스, 토론토, 로카르노, 산세바스티안영화제 등 메이저 영화제들에 유니프랑스가 프라이빗 스크리닝을 제공한다는 사실을 인지하고 있던 나는 1998년 2월 프랑스 파리에 있는 유니프랑스 본부를 방문해 다니엘 토스캉 드 플랑티에Daniel Toscan de Plantier 회장과 미팅을 했다.

프라이빗 스크리닝이란 영화 상영을 위한 영사 기사만이 참석한 가운데 준비된 작품들을 프로그래머 혼자 시사하는 방식으로, 2, 3일 동안 약 오십여 편의 장편과 단편을 보게 된다. 나는 드 플랑티에 회장과의 미팅에서, 부산국제영화제에서 훌륭한 프랑스 영화를 많이 상영하고 프랑스의 시네아스트들을 초청하고 싶다는 의지를 밝혔다. 그리고 유니프랑스에서 적절한 시기에 부산국제영화제를 위한 프라이빗 스크리닝을 준비해주면 더할 나위 없을 것 같다고 제안했다. 그런데 놀랍게도 나의 담대한 제안은 즉석에서 통과되었다. 1970년대 한국영화시장에서 프랑스영화의 점유율이 30퍼센트에 가까울 정도로 높았고 프렌치 누아르 영화들이 특히 성행했는데, 지금 유니프랑스는 프랑스영화 프로모션을 위한 어떤 노력도 기울이지 않기 때문에 한국 시장에서 프랑스 영화 점유율이 낮은 것 같다는 의견을 피력했는데, 아마 내 설득이 주요했던 것 같다.

이후부터 부산영화제는 날개를 달게 된다. 비경쟁영화제이지만 메이저 영화제로 도약할 수 있는 계기가 만들어진 것이다. 파리에서의 프라이빗 스크리닝이 성사되면서, 그 사실을 앞세워 차례차례 유럽의 거의 모든 영화진흥위원회에게 부산영화제를 위한 프라이빗 스크리닝을 요청할 수 있는 근거가 생겼다.

2005년 제10회 부산영화제를 개최하기 전 이미 프랑스, 영국, 독일 등 주요 영화 생산국을 포함해 캐나다, 오스트레일리아, 스페인, 스위스, 오스트리아, 아일랜드 등 프라이빗 스크리닝 망이 형성이 됐고, 오히려 우리 영화제의 프로그래머가 시간이 없어 다 가지 못할 정도였다. 신생 국제영화제가 성취해 낸, 전무후무한 놀라운 성과가 아닐 수 없다.

1998년 10월, 유니프랑스의 드 플랑티에 회장은 많은 프랑스 판매회사들을 이끌고 서울에 와서 현대 프랑스 영화를 국내 외화 배급업자들에게 소개하는 프랑스영화 프로모션 행사를 주한프랑스대사관과 함께 진행했다.

"내가 어린 시절 프랑스영화의 국내 점유율이 매우 높았는데 지금은 정반대의 상황이 됐다. 배급 환경이 어렵고 힘들더라도 최선을 다해야 한다. 부산을 적극적으로 활용해달라!" 이렇게 내가 드 플랑티에 회장에게 했던 이야기가 그에게는 큰 자극이 됐던 것 같다. 결과적으로 그는 부산영화제를 위한 프라이빗 스크리닝도 준비해 주고, 같은 해 프랑스영화 대표단과 함께 부산영화제도 방문한다. 그는 안타깝게도 2003년 2월 베를린영화제 기간 중에 심장마비로 타계했다.

앞서 말했듯 프라이빗 스크리닝의 성사와 제도화는 내가 부산영화제에 크게 기여했다고 자부하는 커다란 성과이다. 비경쟁영화제의 경우 전례가 없던 일이고, 이렇게 열심히 뛰어야만 좋은 영화를 가장 먼저 가져올 수 있다. 영화 프로그래밍은 결코 책상머리에서 하는 것이 아니다.

잔느 모로

요코하마-프랑스영화제 참가 이후, 나는 우리도 할 수 있다는 생각으로 다음 해부터 내로라하는 프랑스 대표 영화인들을 부산국제영화제에 초청하기 위해 노력했다. 실제로 그런 게스트들이 참가하게 되는데, 그중 한 사람이 잔느 모로Jeanne Moreau였다. 그녀와 함께 김해 공항에서 찍은 사진이 영화제에 잘 보관돼 있을 거라고 굳게 믿고 있었는데, 아쉽게도 존재하지 않았다.

잔느 모로 배우의 요구 조건은 놀랍게도 단 하나였다. 그것은 다름 아닌 〈마그리트 뒤라스의 사랑Cet Amour La〉(2001)을 야외 상영장에서 관객들에게 보여줘야 한다는 것이었다. 추측건대 그녀보다 먼저 부산영화제를 다녀간 이자벨 위페르Isabelle Huppert 배우의 부산 이야기를 듣고 그런 구체적인 요구를 하는 것 같았다. 이자벨 위페르보다 자신이 더 대배우라고 생각하는 잔느 모로 배우로서는 당연한 요구였겠지만 이것이 내게는 가장 큰 고민이었다. 그녀의 신작 〈마그리트 뒤라스의 사랑〉은 문학적인 감성에다 어두운 로우키의 실내 장면이 많아 야외상영에 전혀 어울리는 작품이 아니었기에, 그녀의 이름만으로는 야외 상영장의 그 수많은 좌석을 채울 수는 없었기 때문이다.

그나마 다행이었던 것은 2002년 부산아시안게임 개최로 인해 영화제 개최 시기가 11월로 순연되면서, 추위로 야외상영이 아예 불가능했다. 오픈시네마 영화들을 벡스코에서 상영하기로 정했는데, 최소 1,000석 이상은 채워져야 텅 빈 느낌이 나지 않는 큰 전시장이었다.

개막 직전까지 750장의 티켓이 판매되었다. 적은 숫자는 아니었으나 잔느 모로의 기대에는 못 미칠 것이라는 걱정에 나는 발상의 전환을 꾀하는 아이디어를 냈다. 스크린을 중심으로 가로로 길게 배치된 좌석 배열을 세로로 길게 만들었다. 잔느 모로 배우가 상영관 안으로 입장과 퇴장을 할 때, 객석에서 박수로 맞이하면 객석 끝까지 아주 잘 보이진 않을 테니 객석이 꽉 들어찬 것으로 보이지 않을까 하는 기대였다.

다행히도 스크리닝은 별 문제 없이 잘 마무리되었고, 그녀는 "제이, 수고했어. 많이 안 왔지만 이 정도면 괜찮아" 하고 웃으며 내게 말했다. 그녀의 그런 말을 듣기까지 그동안의 걱정과 부담, 힘들었던 시간들이 말끔히 녹아내리는 순간이었다.

배우 윤정희

2010년 많은 이들이 호평하며 관심이 모였던 이창동 감독의 〈시Poetry〉가 칸 국제영화제 각본상에 그쳤다. 더 큰 기대를 모았고, 그럴 가치가 충분한 작품이었는데 아쉬운 결과였다. 뤼미에르 대극장에서의 시상식이 끝나고 페스티벌 건물 4층에서 열린 폐막 리셉션에 참가했다. 리셉션에는 늘 새롭게 부상한 국제적인 스타들을 부산국제영화제에 초대할 수 있지 않을까 기대하며 참가하는데, 익숙한 싯다운 디너 방식이 아니었고 자유롭게 서서 사람들과 대화를 나누고 돌아다니는 칵테일 리셉션이었다. 입구 쪽에 홀로 서 계신 윤정희 선생님을 발견하고 가서 인사를 드렸더니 나를 쳐다보는 얼굴 표정이 너무 좋지 않았다. 나는 걱정이 되어 "어디 불편하신가요?" 하면서 안부를 물었는데 갑자기 화를 버럭 내면서 "당신 같은 사람들이 일을 제대로 하지 않으니까 내가 여우주연상을 받지 못했다"고 하는 게 아닌가. 나는 너무 당황스러워서 할 말을 잃고 듣지 못한 척하며 뒤돌아서 그녀로부터 멀어졌다. 이 이야기는 그 후로 7, 8년 동안 어느 누구에게 단 한 번도 언급한 적이 없다.

김동호 이사장은 파리를 방문할 때마다 언제나 윤정희, 백건우 부부와 연락해 저녁식사를 함께 하면서 안부를 묻는 자리를 가지곤 했는데 가끔 나도 동행한 적이 있다. 그 때마다 윤정희 배우는 김동호 이사장과 나에게 "아무 보상 없이 헌신적으로 일하는 여러분 덕분에 한국영화가 전 세계에 널리 알려지고 발전한다"며 칭찬을 아끼지 않았다. 늘 그렇게 말씀하시던 분이 갑자기 내게 그런 원망을 하니 나는 어떻게 받아들여야 할지 몰라 전혀 대응할 수 없었다. 그때 이미 윤정희 배우에게 알츠하이머 초기 증세가 나타나기 시작했다는 사실을 나는 결코 알 수 없었고 짐작조차 할 수 없었다.

8년 후, 윤정희 배우의 알츠하이머 증세가 심해졌다는 보도가 나온 후, 윤정희 팬클럽의 안규찬 회장에게 확인한 바에 의하면 〈시〉를 촬영할 때부터 이미 운명적으로 경미한 알츠하이머 증상들이 발생하기 시작했다고 했다. 〈시〉의 촬영이 끝나고 칸영화제에 출품이 되고, 그러니까 최소 6, 7개월이라는 시간이 지났을 때니 이미 알츠하이머는 진행되고 있는 상태였고, 그 날 아마 감정 기복이 크게 드러났던 것일 수 있다. 하지만 당시에 나는 그 분이 하신 말을 전혀 납득할 수 없었고, 오히려 충격을 받았다. 그렇지만 어느 누구에게도 이런 섭섭한 마음을 토로한 적은 없다.

2020년, 윤정희 배우의 병명이 공식적으로 알려졌다. 나는 더 늦기 전에 윤정희 배우의 회고전을 해야 하는 게 아닌가 하는 고민을 했다. 하지만 회고전을 하려고 해도 인터뷰 자체가 힘들고 참석은 더더욱 어려운 상황에서 그녀의 목소리를 담은 출판물 하나 만들 방법이 없어 결국 포기하고 말았다.

뤼미에르영화제

Lumière Film Festival

뤼미에르영화제
2009년부터 영화의 발상지 프랑스 리옹에서 열리는 고전영화제이다. 복원판이나 회고전을 중심으로 영화의 역사에 초점을 맞춘 라인업을 자랑한다.

2016년 10월 말 부산국제영화제를 사직하기 전, 칸국제영화제 티에리 프레모 집행위원장의 배려로 프랑스 리옹에서 열리는 뤼미에르영화제를 둘러볼 수 있는 기회가 생겼다.

처음 찾은 뤼미에르영화제. 국제영화제라고 하기는 어렵지만 칸에서만 볼 수 있는 스타 영화인들이 참석하고, 뤼미에르인스티튜트 내 두 개의 메인 상영관과 시내 중심가에 있는 파테벨쿠르 멀티플렉스 등 15개 상영관에는 신작이 아닌 옛 영화를 상영함에도 남녀노소 관객들로 넘쳐났다.

협찬사도 많고 풍요로워 보이는 그 영화제에 유일한 불만이 있다면 입장권을 구하기가 매우 어렵다는 것이다. 칸에서처럼 개막일에 입장권 확보 대책을 강구하지 않으면 하루에 간신히 한두 편밖에 볼 수 없다.

뤼미에르영화제의 경이로운 성공, 그 중심에는 막강한 영향력을 갖고 있는 티에리 프레모 칸영화제 집행위원장이 있다. 리옹 시민들이 사랑하는 그의 소

2016년 특별전의 주인공으로 소개되는 박찬욱 감독

박한 성품과 영화에 대한 열정, 그리고 우리 시대 최고 감독들과의 네트워킹을 확보한 그의 능력이 회고전 중심의 영화제를 성공시킨 주요인이라 생각한다. 그는 그해 행사를 위해서 카트린 드뇌브, 공리, 제리 샤츠버그, 월터 힐, 레지스 바르니에, 박찬욱, 쿠엔틴 타란티노, 가스파 노에 등을 초청했다.

그곳에서 인상깊었던 점은 부산국제영화제 기간 동안 직간접적으로 인연을 맺었던 사람들과 조우한 것이다. 프레모 위원장은 영화제에 초대한 프랑스 게스트들과 인터내셔널 게스트들이 영화적 우의를 다질 수 있도록 점심이나 저녁 식사 모임에 초대한다. 저녁 자리는 와인이나 샴페인으로 시작해서 후식을 끝낼 때까지 무려 4시간가량 계속된다. 나는 3일 내내 디너에 초대됐는데 영광스럽게도 회고전 주인공인 감독들이 주로 앉는 코너 테이블에 배치됐다. 영화감독도 아닌 내게 영화제 '상석'을 내어 준 것이다. 첫날 밤에는 제리 샤츠버그 감독과 월터 힐 감독 그리고 그들의 부인들과 합석했다. 왼쪽 옆자리의 힐 감독은 나를 박찬욱 감독으로 생각하고 인사를 건넸다. 1980년대 초 지금은 사라진 종로3가의 피카디리 극장에서 그의 영화 〈48시간48 Hrs〉(1982)을 본 기억이 떠올랐다. 그는 부산영화제에 관심을 보였다. 캐스팅 디렉터로 일하고 있는 그의 부인 역시 남편과 함께 영화제 여행을 많이 해서인지 영화제에 대한 정보량이 남달랐다. 샤츠버그 감독은 자신의 영화를 발굴한 이가 피에르 리시엥이라고 하면서 그를 잘 아느냐고 나에게 물었다. 알고보니 두 사람은 리시엥 씨의 친구들이었다. 나는 파리의 요양병원에서 만난 리시엥 씨의 근황을 두 사람에게 전해주었다. 옆자리에 앉아 있는 베니스영화제 알베르토 바르베라 집행위원장과 부산영화제를 두 번 방문했던 프랑스의 레지스 바르니에 감독과도 반갑게 인사를 교환했다.

바르니에 감독은 2014년 〈고백의 시간The Gate〉(2014)으로 부산국제영화제를 찾았다. 그 작품은 영화의전당 야외 상영장에서 상영되었는데, 그 해 날씨가 유난히 차가웠다. 나는 처음부터 끝까지 그의 옆에서 영화를 봤고, 그는 관객이 많지 않았던 것에 조금 섭섭해 하는 느낌을 내게 전했다.

오랫동안 인연을 유지해온 박찬욱 감독 부부와 함께하는 즐거운 저녁 식사 자리는 내게 큰 위안이 되었다.

산업적 영향력도 없고 크지 않은 영화제라도 관객들의 사랑만 받을 수 있다면 매우 성공할 수 있다는 교훈을 주는 뤼미에르영화제이다.

5

토론토국제영화제는 북미에서 열리는 가장 큰 영화제 뿐만 아니라 세계에서 가장 중요한 다섯 개 영화제들 중 하나다. 토론토영화제의 인더스트리센터는 킹스트리트 위치한 하얏트리젠시호텔 메자닌 플로어에 있는 두 개 볼룸과 스탠드로 활용되고 있는 객실들 일부로 구성되 있다. 크기는 작지만 칸과 베를린의 필름마켓과 같은 중요한 역할을 하고 있다. 두 개의 볼룸에는 유니프랑스 저먼필름즈 같은 15개국 정도의 영화진흥기구들이 대표단을 파견하고, 와일드 번치를 포함한 수십 개의 판매 회사들은 객실을 스탠드로 꾸며 바이어들을 맞고 있다. 토론토의 인더스트리센터는 규모가 크진 않지만 할리우드 신작들을 포함한 월드 프리미어를 많이 상영한다.

토론토국제영화제
몬트리올에서의 캐나디언 스크리닝
멀고 험한 길
아이슬란드 화산재
에어프랑스 파업
아일랜드 더블린의 세 명의 거장
골웨이국제영화제
아랍의 영화제들
도빌아시아영화제
유럽과 미국의 아시아영화제들
스칸디나비아의 영화제들
“현금은 너무 낡았다”
볼로냐고전영화제

영화관에서의 일만 하룻밤

나중에 영화제가 끝나고 어느 매체와의 인터뷰에서 어떻게 황금사자상을 받을 수 있는 작품을 미리 간파하고 초청할 수 있었느냐는 질문을 받았는데, 좋은 프로그래밍은 끊임없는 예술영화 신작들에 대한 정보를 파악하고자 하는 노력과 외국 영화 전문가들과의 협업, 그리고 좋은 영화를 판단하는 능력이 유기적으로 결합해야만 가능하다고 말한 적이 있다. 이런 믿음은 오랜 경험에서 기인하는 것이고, 이 세 가지가 잘 결합되지 않으면 좋은 프로그래밍을 하기 어렵다고 말할 수 있다. 최고 수준의 영화들은 메이저 경쟁영화제를 위해서 숨겨 두고, 그 외의 영화제들에는 평년작들만 추천하며 영화제 프로그래머들을 속이는 이들도 있다. 쇼리 위원장은 이런 부류의 영화 행정가와는 거리가 먼 진솔한 사람이었고 나의 프로그래밍에 언제나 좋은 파트너였다.

토론토국제영화제

Toronto International Film Festival

토론토국제영화제
베를린영화제의 규모에 버금가는 북미 최대의 영화제로
가장 많은 할리우드 신작들과 스타들을 초대한다.

토론토국제영화제는 북미에서 열리는 가장 큰 영화제일 뿐만 아니라 세계에서 가장 중요한 다섯 개 영화제들 중 하나다. 토론토영화제의 인더스트리센터는 킹스트리트에 위치한 하얏트리젠시호텔 메자닌 플로어에 있는 두 개의 볼룸과 스탠드로 활용되고 있는 객실들 일부로 구성되어 있다. 크기는 작지만 칸과 베를린의 필름마켓과 같은 중요한 역할을 하고 있다. 두 개의 볼룸에는 유니프랑스와 저먼필름즈 같은 15개국 정도의 영화진흥기구들이 대표단을 파견하고, 와일드 번치를 포함한 수십 개의 판매 회사들은 객실을 스탠드로 꾸며 바이어들을 맞고 있다. 토론토의 인더스트리센터는 규모가 크진 않지만 할리우드 신작들을 포함한 월드 프리미어를 많이 상영한다. 영화제의 소프트 파워에 힘입어 바이어들의 큰 관심을 끌고 있고 국내 영화산업 관계자들도 많이 참가하고 있다. 또한 영화제에 참가한 영화산업 관계자들이나 언론인들이 주요 영화들을 수월하게 볼 수 있도록 인더스트리 스크리닝 제도를 활성화해 효율적으로 운용한다.

토론토영화제가 메이저 영화제로 빠른 기간 내에 확실하게 부상한 이유는 전 세계 영화제 중에서 할리우드의 신작 상영이 가장 많고, 할리우드 스타가 제일 많이 찾기 때문이다. 바꿔 말하자면 할리우드 입장에서는 안방 시장이라고 할 수 있는 캐나다 영화시장을 효과적으로 관리할 수 있는 장이기도 하다. 그 외 다른 나라의 영화산업 관계자들은 토론토영화제가 미국 시장으로 가는 관문이 될 것이라는 희망을 품고, 실제 진입은 매우 어렵지만 미국 시장에 영화를 판매하겠다는 일념 하나로 인더스트리센터에 참가하게 되는 것이다. 이것이 토론토영화제의 특성이자 토론토영화제가 단기간에 메이저 영화제로 급성장한 가장 핵심적인 이유이다.

토론토영화제에는 칸필름마켓이나 베를린영화제의 유러피안필름마켓에 오는 서구 대부분 나라의 영화진흥위원회와 영화산업 관계자들이 거의 다 참석한다. 그들이 주최하는 리셉션이 열리는 날짜도 칸과 베를린에서 열리는 순서와 거의 유사하다. 영화제가 개막하고 첫 번째 주말에 대부분의 주요 영화산업국들이나 군소 국가들의 영화진흥위원회가 주최하는 리셉션 행사가 포진돼 있다.

토론토영화제는 부산국제영화제와 개최 시기가 한 달 밖에 차이가 나지 않아 참가하기가 쉽지 않았는데, 2000년부터는 토론토영화제의 초청을 받아 영화제의 장점을 배우기 위해서 참가하기 시작했다. 처음에는 영국의 엘리자베스 여왕이나 캐나다 국빈이 방문할 때 투숙한다고 하는 페어몬트호텔을 제공받아 지냈고, 나중에는 이동하는 시간을 좀 더 절약하기 위해서 인더스트리센터가 위치한 하얏트호텔로 옮겨 지냈다.

토론토영화제에서의 하루 일정은 세계 영화산업에 어떤 흐름이 있는가 살펴보면서 참가한 거의 모든 국가의 영화진흥위원회 수장들을 10분 정도 미팅을 하고, 시간을 잘 조정해서 하루에 두세 편씩 인더스트리 스크리닝을 통해 주요 작품들을 관람하는 것이었다.

캐머런 베일리 예술감독과의 오랜 인연과 텔레필름 캐나다와의 좋은 협력 관계로 인해 토론토영화제에 자주 참석했지만, 부산영화제와 개최시기가 너무 가까워 장거리 출장임에도 늘 3, 4일밖에 머무르지 못했던 점이 아쉽다.

한국을 기준으로 서쪽으로의 여행, 즉 유럽으로의 여행은 시차 적응이 좀 더 수월하고, 동쪽으로 향하는 미국이나 캐나다 출장은 시차 적응에 더 긴 시간이 필요해 몸도 피곤하기 마련이다. 토론토영화제 출장의 경우는 언제나 일정 자체가 매우 짧았기 때문에 시차적응이 될 만하면 다시 서울로 돌아와야 했고, 항상 시차로 인한 피로감에 시달리는 여정이었다. 늘 엉망인 몸상태로 만나는 사람들에게는 웃는 얼굴로 대해야 하는 어려움이 있는 출장지이기도 했다.

토론토영화제가 열리는 첫 번째 일요일 아침에는 매년 이스라엘필름펀드Israel Film Fund가 주관하는 이스라엘 브런치 모임이 있다. 쌀쌀한 날씨에 비교적 이른 시간인 오전 9시부터 퀸스트리트에 위치한 재즈 카페 렉스Rex로 사람들이 속속 모여든다. 마침 영화제 차량을 타고 도착한 베일리 예술감독과 만나 반갑게 인사를 하고 함께 안으로 들어갔다. 그가 늘 나를 높이 평가하고 VIP 게스트로 환대하는 이유는, 무명의 영화평론가로서 그가 제1회 부산영화제에 왔을 때 내가 후대했기 때문일 것이다.

이스라엘 브런치 모임은 언제나 그렇듯이 소박한 상차림이다. 베이글, 필라델피아 치즈, 훈제 연어, 토마토와 파프리카를 비롯한 몇 가지 야채 그리고 결코 품질이 좋다고 할 수 없는 커피와 블랙 티 정도다. 아마도 예산은 결코 2,000 캐나다 달러를 넘지 않을 것이다. 그럼에도 불구하고 그 자리에서 만날 수 있는 인사들의 면면은 화려하다.

베일리 예술감독, 로카르노영화제 집행위원장 카를로 차트리안(현 베를린영화제 예술감독), 유러피안필름프로모션 매니징디렉터 레나테 로즈Renate Rose 등 북미와 유럽의 주요 영화제나 문화기관, 영화진흥위원회를 대표하는 사람들을 많이 만날 수 있다.

이스라엘 영화진흥위원회 위원장인 카트리엘 쇼리Katriel Schori 씨와 나처럼

토론토영화제 유러피안필름프로모션 파티

모두 짧게는 10여 년, 길게는 30여 년 이상 인간관계를 유지하고 있는 사람들이다. 쇼리 위원장은 그 가족적인 분위기의 행사를 토론토영화제에 초청되는 이스라엘영화의 편수와 관계없이 십수 년 동안 계속해오고 있다.

뉴욕대학교 대학원에서 영화제작 학위를 취득하고 이스라엘필름펀드에서 정년퇴직을 하기까지 50여 년을 근무한 카트리엘 쇼리 씨는 이스라엘의 영화 대사로 불린다. 부산이 신생 영화제일 때부터 무시하지 않고 이스라엘 영화를 적극적으로 소개했던 사람으로, 지난 20여 년 동안 이스라엘 영화가 메이저 영화제에서 빛나는 영광을 성취한 이면에는 그의 노력이 있었음을 부인할 수 없을 것이다. 그는 모든 영화진흥위원회와 영화제 행정가에 모범이 될 만한 사람이다. 우리와 영화산업의 규모나 연간 제작 편수에서 비교가 되지 않는 이스라엘이 메이저 영화제에서의 성적은 우리 못지않게 좋은 이유는 아마 이스라엘 영화진흥위원회의 매우 효율적인 지원 제도와 그의 노력 덕분일 것이다.

민주화가 된 오늘날에도 정권이 바뀔 때마다 대선캠프에 있던 인사가 영화진흥위원회 위원장으로 선임된다면, 군인을 영화진흥공사의 사장으로 임명했던 시절과 본질적으로 무엇이 다른 것인가. 한국영화 해외 프로모션과 마케팅을 위해서는 전문성 못지않게 외길 인생 같은 삶이 필요하다. 현재 영화진흥위원회의 어설픈 순환 근무식 업무 체계는 끊임없이 예산과 시간을 낭비하면서도 어설픈 영화 행정가만 양산하는 시행착오의 연속일 뿐이다.

이스라엘의 파워는 거의 모든 직급의 사람들이 동등하게 항공 여행시 비즈니스 클래스를 타지 않는 데서 나올 뿐만 아니라, 국제관계 전문가로서

하얏트호텔에 위치하고 있는 토론토영화제의 인더스트리센터

50여 년을 봉직하고 은퇴한 쇼리 위원장을 다시 복직시켜 일하게 하는 데에서도 나온다는 사실을 유념해야 한다.

2009년 제66회 베니스영화제 경쟁부문에 초청된 영화들 가운데서 나는 이스라엘 영화는 〈레바논Lebanon〉(2009) 단 한 편을 부산영화제에 초청했다. 결과적으로 〈레바논〉이 베니스영화제에서 황금사자상을 받으면서 나의 영화 보는 안목을 인정받았는데, 이 모든 것이 카트리엘 쇼리 위원장과의 긴밀한 협업 덕분이었다. 쇼리 위원장은 그해 칸영화제에서부터 내게 〈레바논〉을 적극 추천했고 아마도 메이저 영화제에서 좋은 성과가 있을 것이라고 귀띔을 해 주었다. 나는 그해 여름 베니스영화제가 개막되기 직전에 겨우 영화를 볼 수 있었는데, 보자마자 뛰어난 영화임을 직감했고 바로 초청장을 보냈다.

나중에 영화제가 끝나고 어느 매체와의 인터뷰에서 어떻게 황금사자상을 받을 수 있는 작품을 미리 간파하고 초청할 수 있었느냐는 질문을 받았는데, 좋은 프로그래밍은 끊임없는 예술영화 신작들에 대한 정보를 파악하고자 하는 노력과 외국 영화 전문가들과의 협업, 그리고 좋은 영화를 판단하는 능력이 유기적으로 결합해야만 가능하다고 말한 적이 있다. 이런 믿음은 오랜 경험에서 기인하는 것이고, 이 세 가지가 잘 결합되지 않으면 좋은 프로그래밍을 하기 어렵다고 말할 수 있다. 최고 수준의 영화들은 메이저 경쟁영화제를 위해서 숨겨 두고, 그 외의 영화제들에는 평년작들만 추천하며 영화제 프로그래머들을 속이는 이들도 있다. 쇼리 위원장은 이런 부류의 영화 행정가와는 거리가 먼 진솔한 사람이었고 나의 프로그래밍에 언제나 좋은 파트너였다.

2015년 제40회 토론토영화제의 메인 베뉴인 킹스트리트에서 멀리 떨어진 드레이크호텔에서 열린 스칸디나비언 만찬에 갔다. 핀란드 영화진흥위원회와 노르웨이 영화진흥위원회의 담당자들과 다음 연도의 협업을 위한 논의를 하고 스칸디나비아의 주요 영화제 집행위원장들을 만났다. 부산의 오랜 친구인 프리드릭 토르 프리드릭슨Fridrik Thor Fridrikkson 감독과 칸에서 '주목할 만한 시선상'을 수상한 그리무르 하코나르손Grimur Hakonarson 감독을 함께 만난 것은 예정에 없던 즐거움이었다. 아이슬란드영화의 현재이자 미래라고 할 수 있는 두 사람은 이제 유럽영화를 대표하는 존재가 되었다.

일본영화의 밤 행사가 참가자들의 편의를 고려한 듯 영화제 메인 베뉴에서 거리가 먼 일본문화원이 아닌 리치몬드 스트리트에 위치한 어반스페이스 갤러리에서 열렸다. 영화제에 초청된 감독들을 무대로 불러 소개하고 그들의 소감을 듣는 프리젠테이션이 이어졌다. 가와세 나오미 감독과 고레에다 히로카즈 감독이 참석해 자리를 빛냈으며 100여 명 정도의 초청자들이 자리를 함께 했다.

'파티 즐기기'에서 둘째가라면 서러워할 이탈리아 사람들이 가장 호화로운 파티를 선보였다. 부유한 토론토 사람들이 연회 장소로 애용한다는, 토론토의 유일한 유럽 스타일 성 카사 로마Casa Loma로 영화산업 관계자들과 저널리스트들을 초대했다.

다양한 이탈리아 음식과 젤라또에 디제이와 음악까지 제공했다. 연설이 없는 점은 더욱 마음에 든다. 곧 부산에서 다시 만날 사람들과 인사를 나누고 호텔로 향했다.

2018년, IFPIndependent Filmmakers Project에서 40여 편의 저예산 아트하우스 영화

를 제작했던 프로듀서 조앤나 비센테Joana Vicente가 토론토영화제의 신임 운영 위원장Executive Director & Co-Head으로 선임됐다. 비센테 운영위원장은 예술감독이자 공동대표로 승진한 캐머런 베일리와 함께 토론토영화제의 새로운 미래를 이끌게 된다. 같은 해, 오랫동안 토론토영화제를 대표했던 영화제 CEO 피어스 핸들링Piers Handling은 마침내 은퇴했다.

나는 조앤나 비센테 위원장이 캐머런 베일리 예술감독과 함께 오랫동안 토론토영화제를 이끌 것으로 보았다. 그래서 코로나19가 시작되기 전, 칸국제영화제 기간 중 그녀를 특별히 부산영화제 오찬에 초대해 격의 없는 대화를 나누는 사이가 됐는데, 뜻밖에도 그녀는 2021년에 토론토영화제를 떠나 선댄스영화제로 자리를 옮겼다. 그리고 캐머런 베일리 예술감독은 토론토영화제의 CEO로 위촉되었다.

몬트리올에서의 캐나디언 스크리닝

캐나다의 영화진흥위원회인 텔레필름 캐나다Telefilm Canada는 본부가 몬트리올에 있다. 부산국제영화제는 2000년대 초반부터 텔레필름 캐나다, 주한캐나다대사관과 협조해 캐나다 신작 영화들과 캐나다 영화인을 부산영화제에 초청하는 일을 본격적으로 시작했다. 캐나디언 스크리닝은 부산영화제가 열리기 3개월 전인 초여름에 몬트리올에 가서 나흘 동안 체류하며 50여 편의 장·단편 영화를 작은 스크리닝 룸에서 영사 기사와 함께 보는 스크리닝 업무다. 스크리닝 마지막 날에는 텔레필름 캐나다 담당자와 초청 후보작과 초청 인사에 대한 이야기를 나누면서 마무리하는 일정이다.

토론토국제영화제나 텔레필름 캐나다를 방문할 때마다 늘 염두에 두었던 것은 캐나다 영화계를 대표하는 국제적인 세 명의 감독 데이비드 크로넨버그David Cronenberg, 드니 아르캉Denys Arcand, 아톰 에고얀Atom Egoyan을 초청해야한다는 생각이었다. 그들을 초청하기 위해 온갖 노력을 쏟았지만 세 감독 중 누구도 데려올 수 없었다. 이유를 추론해 보자면 아마도 이 세 감독은 지나치게 메이저 영화제 중심적인 사고를 가지고 있던 게 아닐까 한다. 부산까지의 장거리 여행이 꺼려지는 것도 이유가 될 수 있다. 아톰 에고얀 감독의 경우, 이유는 알 수 없지만 우리나라를 경시하는 성향도 있었던 것 같다. 나는 그를 꼭 초청하기 위해서 그가 명예 조직위원장으로 있는 아르메니아의 황금살구 예레반국제영화제에 가기도 했고, 개인적으로 가까운 영화제의 조직위원장인 하루튠 하차트리안Harutyun Khachatryan 감독에게 도움을 청하기도 했지만 그는 전혀 관심을 보이지 않았다.

멀고 험한 길
당신의 짐은 지금 어디에

– 2005년 8월 27일 토론토 피어슨 국제공항Toronto Pearson International Airport에서의 에어프랑스 활주로 이탈 사고

캐나다 몬트리올의 텔레필름 캐나다로 가던 길에 일어난 일이다. 몬트리올로 가는 직항편이 없어 토론토 공항에서 비행기를 한 번 갈아타야 했는데, 토론토 공항에서 에어프랑스 비행기가 착륙 중 활주로를 이탈하는 사고가 벌어졌다. 500여 명의 승객이 타고 있었지만 다행히 누구도 사망하거나 부상을 당하지는 않았다. 하지만 이 사고로 인해 피어슨 국제공항 내에 화물 운송 체계가 엉망이 되어 모든 승객이 짐을 찾지 못하는 대형사고가 발생한다. 그래서 원래는 짐을 찾아 다시 몬트리올행 비행기에 체크인을 해야 했는데, 짐을 찾지 못한 채로 몬트리올로 향하게 되었다.

급한 대로 옷을 몇 벌 사려고 했으나 빡빡한 스크리닝 스케줄 때문에 포기하고 스크리닝에 전념했다. 텔레필름 관계자들은 내가 영화를 보는 동안 몬트리올 공항의 에어프랑스 사무실로 전화를 해 내 가방의 소재를 확인하곤 했다. 두 번째 날이 되니, "오후에 도착할 것이다"라고 했고, 다시 오후가 되니

"내일 도착할 것이다"라며 계속 미뤄지기만 했다. 좋은 영화 몇 편을 발견했고, 스크리닝도 잘 끝났지만 여전히 짐에 대한 소식은 없었다. 3일 후면 떠나야 했는데 이대로 짐 없이 왔다가 짐 없이 떠나는 것인가 하는 순간, 갑자기 에어프랑스에서 연락이 왔다. 짐을 못 찾을 것 같다며 보상을 위해 가방에 들어있던 모든 물건의 제품명과 구입 단가를 상세하게 서식에 맞추어 써 달라는 것이었다. 타이 두 개, 구두 한 족, 드레스 셔츠 두 개, 수트 한 벌, 선글라스 한 개, 여행용 가방 하나 등 제품명과 가격의 합계를 적고 재검토까지 마쳐 전달했다.

그런데 몬트리올을 떠나기 열두 시간 전 밤에 에어프랑스에서 가방이 돌아왔다고 전화가 왔다. 텔레필름 캐나다 직원들이 열심히 연락해준 덕분이었다.

2010년 4월 20일
아이슬란드 화산재Icelandic Volcanic Ashes

아이슬란드 화산재가 유럽의 하늘에 퍼지면서 비행기 대란이나 수백만 명의 승객들이 유럽의 여러 공항에서 난파되는 사건이 발생했다. 에이야파들라이외쿠들Eyjafjallajökull 화산이 폭발하며 막대한 양의 화산재를 분출해 며칠 동안 유럽에서 출발하거나 도착하는 모든 항공편이 중단되었다. 제2차 세계대전 이후 최대 규모로 평가된 항공대란으로 여행객 약 1천만 명의 발이 묶였으며 피해액은 최소 17억 달러로 추산되는 하늘길이 꽉 막혀버린 사건이었다.

당시 나는 코펜하겐영화제CPH PIX에 참석하고 뉴욕 트라이베카영화제Tribeca Film Festival로 가는 여정을 진행중이었다. 코펜하겐을 한 번도 방문해 본 적이 없던 나는 코펜하겐영화제에서 초청을 받아, "드디어 코펜하겐을 갈 수 있는 기회가 나에게도 왔구나!" 하며 트라이베카영화제 출장과 연결해서 전체 출장 계획을 짜고 얼마나 좋아했는지 모른다. 그러나 그런 행운이 나에게 올 리가 없었다. 독일 뮌헨 공항에서 환승하기 위해 착륙했는데 더 이상 갈 수 없다는 통보를 받았다. 루프트한자 항공편으로 뮌헨에 도착했고, 뮌헨에서 코펜하겐으로의 연결 항공편을 타야 했는데 연결편이 끊어져 버린 것이다. 루프트한자는 공식적으로 모든 승객에게 호텔에서 1박을 하고 다음 날 목적지로 가라는 고지를 했다. 그때만 해도 아이슬란드 화산재 사태가 길어질 거라고는 아무도 예상을 하지 않았다. 공항 루프트한자 데스크에서는 다음 날이면 갈 수 있고, 짐도 내일 연결편에 실릴 거라는 친절한 설명과 함께 호텔 바우처를 건네주었다.

호텔에서 쉬고 다음 날 아침 일찍 일어나 공항에 갔는데, 전날의 친절했던 루프트한자 항공사 직원의 이야기와는 완전히 다른 상황이 펼쳐지고 있었다. 공항에 직원들의 모습은 보이지 않았고, 온통 비행기를 놓친 승객들만 나와 아우성을 치고 있었다. 아무런 공지도 발견할 수 없었다. 사태가 일주일 정도 장기화 될 것 같으니 개인적으로 방법을 찾으라거나 아니면 각자도생을 하라거나 등의 지침도 전혀 없었다. 내 짐이 연결 편에 실렸는지, 연결 편에 실리지 못한 채 어딘가에 적재돼 있는지 답답한 상황이었다. 나는 공항에서 몇 시간을 허비한 후에야 오후 늦게 호텔로 돌아가 일단 하루를 더 묵고 다음 날 공항에 다시 오기로 결정했다. 다행히 숙박료가 100불 이하인 괜찮아 보이는 중급 호텔이 있었다.

호텔로 가는 택시를 탔는데 북아프리카계의 택시 운전수가 어디를 가던 길이냐고 물었고 나는 목적지가 코펜하겐이라는 이야기를 했다. 그는 지금도 갈 준비가 돼 있다면서, 내게 1,300유로의 특별요금을 제시했다. 말도 안 되는 가격이었다. 법인카드가 있다 해도 긴급상황으로 처리할 수 없는 금액이었다. 기차는 이미 현지 상황에 밝은 독일인들의 차지였고 독일 고속열차 이체ICE가 전부 매진된 상황에서 운전기사는 선택의 여지가 없는 내게 바가지 요금을 제시한 것이다.

그때 전년도에 그곳에서 열리는 뮌헨국제영화제Munich International Film Festival 경쟁부문에 심사위원으로 초대되었을 때 열흘 동안 지냈던 기억과, 독일 프라이빗 스크리닝을 위해서 뮌헨을 찾았던 기억들이 떠올랐다. 나는 그 기억 속 시간과 장소를 되짚어 뮌헨에서의 생활을 시작하기로 했다. 저렴한 옷을 사기 위해 백화점을 찾아 급한 대로 옷을 몇 벌 샀다. 개인 비용으로 체류해야 했기 때문에, 당분간 지내야 하는 뮌헨이 베를린에 비해서 모든 것이 50퍼센트 이상 비싸다는 것을 염두에 두고 1박에 70유로 정도 되는 호텔을 잡았다.

그때부터 매일 새벽에 일어나 공항에 가서 짐의 행방과 언제 연결 편을 탈 수 있는지 물어보는 것이 일과가 되었다. 그렇게 사나흘이 지나니 이대로 정말 루이스 부뉴엘 감독의 영화 〈멸종된 천사The Exterminating Angel〉(1962)같은 상황이 벌어지겠구나 하는 생각이 들었다. '항공권을 환불을 해야 하나', '사태가 장기화되면 어떻게 하지', '뉴욕까지 출장 전체를 포기해야 하나', 이런저런 생각에 골머리를 앓았고 평소에 결정을 빨리 하는 편인데도 그때는 단호한 결정을 내리기가 어려웠다.

각국의 항공사들은 어느 회사라고 할 것도 없이 난민촌처럼 변해버린 뮌헨 공항에서 수많은 난파 승객들을 대상으로 하나같이 마각을 드러내고 있었다. 서울이나 도쿄, 베이징 등 아시아 주요 도시로 가는 이코노미 편도 항공권이 4백만 원을 호가하고 있었다. 그럼에도 세 자리밖에 남아있지 않다 가시겠냐 안 가시겠냐 이런 소리가 들렸다. 갈 것인지 말 것인지에 대해서만 말하라고 강요할 뿐, 가격에 대한 어떠한 절충안도 존재하지 않았다. 친절했던 항공사의 직원들은 모두 동물 다큐멘터리에서나 볼 수 있는 거대한 누우Gnu 떼를 노리는 악어들로 돌변했다.

그나마 다행이었던 건, 연결편에 아직 실리지 않았던 내 짐을 찾은 것이다. 그리고 감사하게도 그런 어려운 상황에서 아시아나항공과 대한항공의 500만 원 이상의 여비를 대체할 수 있는 두 개의 마일리지 카드가 있었다. 뮌헨에서는 바로 서울로 가는 국적기가 없으니 기차를 타고 프랑크푸르트 중앙역으로 이동하기로 결심했다. 프랑크푸르트는 여러 차례 독일 여행을 하며 내게 익숙한 도시였기 때문에 그곳이라면 어떤 것도 문제될 게 없었다. 프랑크푸르트로 이동하기 전 뮌헨의 명소인, 피나코텍예술박물관Pinakothek der Moderne을 찾아 마음의 평정을 찾았다. 프랑크푸르트로 이동해 역 근처에 호텔을 잡고, 또 다시 매일 아침 역에서 가까운 공항으로 출근하는 나의 일과가 시작됐다.

나는 먼저 플래티넘 카드를 갖고 있는 아시아나 항공을 접촉하기로 했다. 독일 유학생인지 교포인지 알 수 없는 사람이 창구 직원으로 나와 있었다. 임시 항공편이 있냐고 물어도 그런 것은 없다고 했다. 유럽에 난파된 한국 승객들을 구하기 위해 서울에서 긴급 항공편을 급파했다는 소식도 들려오지 않았다.

어쩔 수 없이 차선책인 대한항공 창구로 찾아갔다. 한국 직원들이 임시 책상 하나를 덩그러니 앞에 두고 앉아 있었다. 여기가 공항인지, 페리를 타는 허름한 부두인지 알 수 없는 풍경이었다. "고객님, 딱 한 좌석이 있습니다. 일등석입니다" 예기치 못한 직원의 말이었다. 마일리지를 얼마나 공제해야 하는

지 물었는데 직원은 당당하게 "15만 마일리지를 공제합니다" 라고 답했다. 그러더니 "여섯 시간 후에 출발합니다. 일등석 중에서도 최신형으로 누우시면 투명 유리가 덮이는 원통형 좌석은 18만 마일리지를 공제합니다"라고 덧붙이는 것이다. 20만 마일의 마일리지가 남아 있어서 어쩔 수 없이 일단 예약을 하고 돌아왔다. 그런데 오후 늦게 전화가 왔다. "고객님, 비행기가 한 대 더 온다고 연락이 왔습니다" 그래서 비즈니스 클래스 탑승이 가능할 것 같고 9만 마일리지만 차감하면 되는데, 다음 날 저녁 비행기이니 오전까지만 결제하면 된다는 전언이었다. 극적으로 그 비행기를 탄 덕분에 일주일 간의 난민 생활을 끝내고 귀국할 수 있었다.

한국에 돌아와 보니 사용하지 않은 비행 구간은 부분적으로 환불해 준다고 여행사로부터 연락을 받았다. 회사에서도 비상상황에서는 부분적으로 영수증을 제출하면 공제해주는 제도가 있어 독일 체류 기간을 출장으로 인정받고 출장비도 일부만 반납했다. 개인적으로 금전적인 큰 손해를 본 건 아니었다.

당시 MB행정부와 집권 여당이었던 한나라당이 부산국제영화제의 집행부를 부정적인 시선으로 볼 때였는데, 부위원장이 해외 출장을 갈 때 퍼스트클래스만 타고 다닌다고 힐난하는 루머가 서울에서 돌기 시작했다. 온갖 고생 끝에 출장비도 아끼느라 거의 쓰지 않고 개인 마일리지를 써서 돌아왔는데 너무 억울했다.

이 이야기와 관련은 없지만 거래 은행인 국민은행에서 밝힐 수 없는 기관의 요청으로 내 개인 계좌의 모든 자료를 제공한 적이 있다는 충격적인 연락을 받았던 기억이 다시 떠올랐다.

에어프랑스 파업

과거에도 자주 그랬듯이 2018년 에어프랑스가 칸국제영화제 기간에 파업을 단행했다. 부산국제영화제의 집행위원장으로 복귀해 칸영화제 개막식에 초대받았는데, 파업 소식을 듣고 불안한 마음으로 출발했다. 공항에 도착하니 영화제 초청팀이 픽업을 위해 마중을 나와 있었다. 그런데 에어프랑스 파업으로 게스트 픽업을 위한 차량이 공항으로 들어올 수가 없는 상황이었다.

그때, 배우처럼 잘생긴 청년이 나에게 다가와 말을 걸며 "저는 누굽니다" 하며 자신을 소개했는데 바로 자비에 돌란Xavier Dolan-Tadros 감독이었다. 자비에 돌란 감독, 유니프랑스 세르주 투비아나Serge Toubiana 회장과 함께 나는 옆 터미널로 가면 차량이 들어올 수 있을지 모른다는 영화제 초청팀의 안내를 받으며 함께 걸어갔다. 15분 이상 걸어가 옆 터미널로 이동했지만 역시나 택시도 들어올 수 없는 상황이었다. 각자 알아서 배정받은 그랜드호텔로 가야만 하는 상황이었다. 투비아나 회장이 교외선 기차를 타고 칸 역으로 가서 택시를 타고 호텔로 이동하는 방법을 제안해 나는 그와 함께 간이 기차역으로 이동해 칸으로 가는 기차를 기다렸다. 자비에 돌란 감독은 택시를 더 기다려 보겠다면서 남았다.

에어프랑스가 칸영화제 개최 기간에 맞춰서 파업을 했고 그 여파로 가는 길은 조금 험난했지만, 우연히 자비에 돌란 감독과 만나 이야기하게 되는 기회를 얻게 되었다. 칸이 가져다 주는 또 하나의 쏠쏠한 즐거움이었다.

파리 샤를드골 공항

아일랜드 더블린의 세 거장

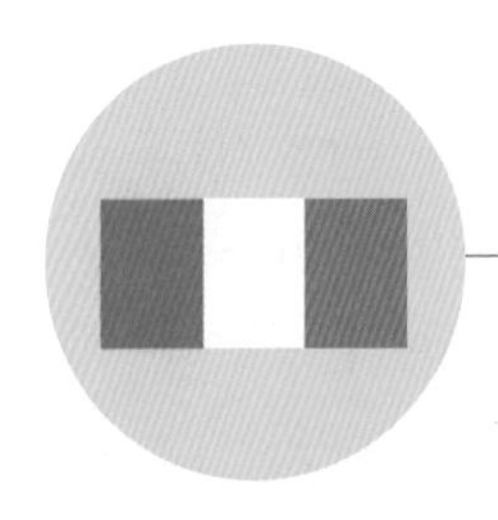

1990년대 메이저 영화제를 풍미했던 아일랜드 영화계 세 명의 거장 존 부어맨John Boorman 감독, 닐 조단Neil Jordan 감독, 짐 쉐리단Jim Sheridan 감독을 모두 부산에 데려오겠다는 야심을 품고 더블린으로 향했다. 존 부어맨 감독은 〈엑스칼리버Excalibur〉(1981)로 1981년 칸국제영화제에서 예술공로상을 수상했고 〈마지막 군주 레오Leo the Last〉(1970)로 1970년 〈장군The General〉(1998)으로 1998년 칸 감독상을 두 번 수상했다. 1990년대 초에 〈크라잉 게임The Crying Game〉(1992)을 내놓으며 가장 중요한 감독으로 주목을 받은 닐 조단 감독은 1996년 베니스국제영화제에서 〈마이클 콜린스Michael Collins〉(1996)로 황금사자상을 받았으며, 짐 쉐리단 감독은 1994년 베를린국제영화제에서 〈아버지의 이름으로In The Name Of The Father〉(1993)로 황금곰상을 수상했다. 이 세 명의 거장을 부산에 초청하겠다는 내 바람은 거의 '미션 임파서블'에 가까웠다.

부산국제영화제 예산 항목 중 아일랜드 VIP 감독 초청을 위해 따로 책정된 돈은 한 푼도 없었기 때문에 이를 해결하기 위해서는 아일랜드 영화진흥위원회인 아이리쉬필름보드Fís Éireann/Screen Ireland의 절대적인 도움이 필요한 상황이었고, 두 기관의 협업 체계를 보다 긴밀하게 작동시키기로 했다. 이 프로젝트를 성공시키기 위해서는 당시 부산영화제에 참석하기 시작했던 더블린국제영화제Virgin Media Dublin International Film Festival 그레인 험프리즈Gráinne Humphreys 집행위원장의 적극적인 조력이 절실했다.

먼저 더블린 시내의 작은 영화관에서 아이리쉬필름 보드가 준비한 스크리닝에 전념했다. 부산영화제에 서구 영화의 경쟁부문 도입이 매우 필요하다고 생각했던 나는, 영화제의 섹션 중 '플래시포워드'를 경쟁으로 전환했는데, 나중에 내부의 반대와 갈등으로 중단됐다. 부산영화제의 유럽영화 상영 섹션 중 경쟁부문이 존재함으로써 유럽 영화계 내에서 부산영화제에 대한 관심을 높이고, 유럽 각국 영화진흥위원회의 적극적인 협조를 이끌어 내기 위함이었다. 경쟁영화제가 아니면서 메이저 영화제들에만 주어지는 프라이빗 스크리닝을 성사시킨 행운이 내가 노력한다고 해서 계속 이어질 것이란 보장은 없기 때문이다. 아시아에서는 일본의 가와기타필름인스티튜트에서 DVD로 일본영화 신작을 보여주는 정도가 전부이고, 부산영화제를 위해 프라이빗 스크리닝을 준비해 주는 곳은 없다. 설사 프라이빗 스크리닝을 개인 회사들이 준비한다고 해도 항공료와 숙박료 등 비용은 전부 영화제가 부담해야 하는 것이 현실이다.

아이리쉬필름 보드의 초청으로 더블린 중심가에 있는 200년 역사를 지닌 유서 깊은 쉘번The Shelbourne, Autograph Collection호텔에 묵을 수 있었다. 쉘번호텔은 영국과 미국의 수많은 유명 인사들이 머문 적이 있는 명소로, 호텔 입구에 그들의 자필로 적힌 숙박계가 비치돼 있다. 영국 수상 누구라고 돼 있는 중세시대 느낌의 현란한 필기체는 마치 내가 박물관에 와 있는 것 같은 느낌을 준다.

쉘번호텔 근처의 피쉬 앤 칩스로 제일 유명하다는 레스토랑에서 짐 쉐리단 감독 부부와 점심을 같이하게 됐다. 쉐리단 감독은 탄수화물 알러지가 심하다며 글루텐(불용성 단백질) 프리 음식을 준비해 주면 좋겠다는 부탁을 했고, 이미 부산영화제에 대해 관심을 보이며 상당한 호기심을 내비쳤다. 쉐리단 감독 부부와의 점심시간은 순조로웠고, 쉐리단 감독은 꼭 부산에 올 것이라는 생각이 들었다. 곧 이어 아일랜드 문화성의 문화 국장이 찾아와 본인의 사비로 1인당 30유로가 족히 넘는 점심값을 지불했다. 아일랜드에서 참가하는 아티스트들은 아이리쉬필름보드가 비즈니스 클래스 항공권을 제공하곤 했으니 초청 비용도 문제가 되지 않았다.

두 번째로 성사된 닐 조단 감독과의 미팅은 쉘번 호텔의 커피숍에서 이루어졌다. 나는《아이리쉬타임즈》에 실린 조단 감독의 전면 인터뷰를 꼼꼼하게 읽어보고 미팅에 갔다. 조단 감독은 그때, 인대를 크게 다쳐 재활운동을 하던 중이었는데도 나를 만나 주었다. 나는 부산영화제에 대해 가볍게 이야기를 이어나갔고, 조단 감독은 쉽지 않은 캐릭터였지만 결과적으로 '이 분도 부산에 올 수 있겠다' 하는 느낌이 들 정도로 미팅 분위기는 아주 괜찮았다.

마지막으로 더블린 근교에 살고 있는 거장, 존 부어맨 감독을 만나러 갔다. 부어맨 감독을 만난 장소는 영화에서 많이 본 것 같은 목조건물에 선술집 분위기가 나는 오래된 긴 나무 테이블이 있는 라운드우드 인Roundwood Inn이었다. 부인과 함께 나온 부어맨 감독은 피에르 리시엥 씨를 통해 부산영화제에 대해서 어느 정도 알고 있었고 관심을 가지고 있었다. 그는 부산에 꼭 가고 싶지만 한 가지 문제가 있다면서, 〈퀸 앤 컨트리Queen and Country〉(2014) 촬영이

거장 존 부어맨 감독

10월에 시작되기 때문에 스케줄 상 힘들다고 했다. 나는 어렵게 여기까지 왔는데 그러면 신작이 완성되고 내년 칸에서 상영된 후, 10월에 부산에 오면 어떻겠냐는 제안을 덧붙였다.

영화제의 거장을 데려오려면 이와 같은 대면 커뮤니케이션이 매우 중요하다. 프로그래머가 직접 원하는 감독들을 만나서 그들의 영화세계에 대해서 같이 이야기할 수 있어야 하고 자신의 영화제에 대해서 감독들로부터 호감을 이끌어내야 한다. 아일랜드의 이 세 감독들은 내가 부산영화제에서 일하기 전부터 알고 있었고, 그들의 대표작들을 빠짐없이 관람했기 때문에 그들과 대화할 때 큰 어려움은 없었다. 게다가 아이리쉬필름보드, 더블린영화제, 아일랜드 문화성까지 깊은 관심을 갖고 도와주니 일이 잘 성사될 수밖에 없었다.

골웨이국제영화제

Galway Film Fleadh

골웨이국제영화제
1989년 골웨이예술제의 한 섹션으로 창설된 국제영화제이다. 매년 7월 아일랜드의 서부지역 끝에 위치한 항구 도시 골웨이에서 열리는 이 영화제에서 우리는 아일랜드영화를 대표하는 영화인들을 만날 수 있다.

2013년 7월 아일랜드 서부의 항구도시인 골웨이에서 열리는 골웨이국제영화제에 참석했다. 골웨이영화제는 아일랜드 국내 영화제로 아일랜드 신작들을 볼 수 있고, 특히 아일랜드의 주요 영화인들을 대부분 만날 수 있다는 큰 장점이 있는 곳이다. 영화제는 단관 상영관인 타운홀에서 개최되는데 대부분의 스크리닝이 관객으로 꽉 찬다.

영화제 기간 중에 골웨이영화제 운영위원장으로부터 나와는 무관한 이메일을 받았다. 영화제에 참가하고 있는 아일랜드 영화인들을 향한 운영위원장의 메시지였는데 아마도 이메일링 명단에 있는 모든 이에게 메일을 보내서 내게도 전달이 된 것 같다. 골웨이영화제는 1인당 몇십 유로 정도의 참가비가 있는데 몇 년 동안 비용을 내지 않고 참가하는 영화인들이 여럿 있는 것 같았고, 그 부분을 강력하게 규탄하며 일부 영화인들의 무책임성을 비판하는 메시지였다. 이메일을 읽고 여러 생각이 교차했다. 영화인들의 어려운 주머니 사정을 잘 아니 참가비를 내지 않은 영화인들을 쫓아낼 수도 없는 노릇이다. 그러나 영화제를 운영하는 입장에서 생각해 보면 상당히 공감이 가는 이야기이기도 하다. 경제적으로 어려운 아일랜드의 적지 않은 영화인들과 크게 다르지 않은 형편의 한국 영화인들을 생각하며 씁쓸한 생각이 들었고, 영화제 운영자 입장에서 공감이 되는 이야기였기에 누구의 편도 들 수가 없었다.

메인 상영관 타운홀씨어터

아랍의 영화제들 1
두바이국제영화제

Dubai International Film Festival

두바이국제영화제
2004년 아랍영화 문화와 산업을 발전시키기 위해서 창설된 아랍 최초의 국제영화제이다. 풍부한 예산에 힘입어 2015년까지 순조롭게 영화제가 운영됐지만 2018년부터 격년제 개최를 표방하는 등 어려움을 겪고 있다.

중동의 영화제들 중 처음으로 간 곳은 아랍에미리트에서 열리는 두바이국제영화제였다. 두바이영화제의 조직위원장과 사업 관계에 있는 한국인이 있었고, 그 영화제는 그분을 통해 부산국제영화제의 개막식에 참석하고 싶다는 요청을 보내왔다. 두바이영화제 대표단을 위한 개막식 초청장과 좋은 좌석을 배정해 주면 된다고 했고 자비로 참석하겠다는 내용이어서 우리는 그들을 환영하는 입장이었다. 그렇게 두 영화제 사이에 비공식적인 자매결연과 같은 분위기가 만들어지면서 나는 아주 좋은 조건으로 두바이영화제의 초청을 받아 처음으로 두바이에 가게 된다.

두바이영화제의 공동 조직위원장은 아랍에미리트의 국왕과 형제관계였다. 국방부 장관, 에미레이트 항공사 회장 등 5개 이상의 공식적인 직함을 갖고 막강한 권한을 쥔 인물이었다. 나는 두바이영화제 방문을 계기로 전 세계로 빠르게 뻗어 나가고 있는 아랍에미리트의 경제적 위상과 참모습을 볼 수 있는 기회를 일찌감치 갖게 되었다. 그 후 두 번 더 두바이영화제에 참석했는데 세계 영화제계의 주요 인사들이 잘 움직이지 않는 12월에 영화제가 개최되기 때문에 영화제 측은 오히려 공격적으로 좋은 조건을 제시하면서 게스트 초청을 시도했다. 두바이영화제가 필름마켓을 런칭하면서 부산영화제에서 아시아필름마켓 운영위원장을 겸임하고 있던 나는 당연히 두바이영화제의 고정적인 게스트가 될 수밖에 없었다.

두바이영화제는 세계 최고 수준의 호텔들을 게스트에게 제공했다. 특급 호텔인 주메이라비치호텔Jumeirah Beach Hotel과 7성급 호텔인 부르즈알아랍Burj Al Arab 등을 게스트들에게 제공함으로써 큰 관심을 끌었다. 내가 마지막으로 방문했을 때는 아주 넓은 단독 빌라를 제공받았다. 전체 크기는 40여 평 아파트 정도가 되고, 화장실 한가운데에 3미터가 넘는 욕조가 있는, 거실이 매우 넓은 방이었다. 내 스케줄을 관리해주는 비서가 별도로 있어 하루 세 끼 식사 예약을 관리해 주었다. 부자가 아닌 내가 이런 곳에 와서 지내고 있자니 오히려 불편함을 느꼈다. 모든 예약을 관리해 주겠다는 비서가 옆에 있었지만, 나는 아무런 예약을 부탁하지 않았고 내가 알아서 먹고 혼자 쉬겠다고 했다. 빌라 앞에는 작은 수영장까지 있었는데, 혹시 있을지 모를 사고를 대비해 구조원 두 명이 하루 종일 지키고 있었다. 수영장을 이용하는 사람은 기껏 해봐야 빌라 한 동에 머무는 여섯 명이 전부였다.

두바이에 두세 번 가면서 인구 분포가 매우 특이하다고 느꼈다. 당시 두바이에는 내·외국인 모두 합쳐 약 90만 명 정도가 거주했는데, 에미라티Emiratis라고 하는 아랍에미리트연합의 시민들은 10만 명 정도밖에 안 되고 나머지는 모두 외국인 노동 인력들이었다. 그중 한국인들은 중·상위 계층의 사람들이 종사하는 직종인 운항 승무원, 객실 승무원, 건설관리 등의 직업 군에서 일하고 있었고, 인도 아대륙Subcontinent 즉 방글라데시, 파키스탄, 인도, 스리랑카 등에서 온 노동자들은 열악한 거주 환경에서 생활하며 저임금에 시달리고 있는 매우 차별적인 사회였다.

이명세 감독의 〈형사 Duelist〉(2005)가 두바이몰에 있는 멀티플렉스에서 상영되었는데 스크린이 크진 않았지만 객석의 대부분이 강동원 배우의 팬인 한국 운항 승무원들로 채워졌던 기억이 난다. 영화제는 전반적으로 부가 넘쳐났고 음식과 리셉션은 풍요로웠다. 하지만 검열 문제를 안고 있었고, 결정적으로 예술영화를 즐기는 관객들이 절대적으로 부족하다는 것이 두바이영화제의 문제였다.

나는 이명세 감독과 함께 국내에서 한때 젊은 신혼부부들의 여행지로 유행했던 부르즈알아랍의 스카이 라운지를 찾았다. 7성급 호텔에서 두바이의 야경을 즐기자는 목적으로 맥주나 한 잔씩 하려고 갔는데 그곳은 보안상의 이유로 호텔의 투숙객이나 같은 그룹의 호텔 투숙객들만 입장시키는 체계를 유지하고 있었다. 놀라웠던 점은 호텔 등급에 비해 커피 가격이 상대적으로 심하게 비싸지 않았다는 것이다. 국내 특급 호텔의 커피 가격이 워낙 고가라 그런 생각이 들었을 것이다. 세계 최고급 호텔의 스카이라운지에서 처음으로 부유한 척해 본 순간이었고 그것을 기념하기 위하여 지금도 그 영수증을 보관하고 있다.

아랍의 영화제들 2
아부다비국제영화제

Abu Dhabi Film Festival

아부다비국제영화제는 지금은 이집트 엘구나영화제El Gouna Film Festival의 집행 위원장인 인티샬 알 티미미Intishal Al Timimi 씨가 경쟁부문 프로그래머였고, 로카르노영화제의 부위원장을 역임했으며 부산국제영화제의 자문위원이기도 한 테레사 카비나Teresa Cavina 씨가 예술감독이었다. 그 두 사람과의 인연으로 나는 아부다비에 가게 된다. 국제화는 두바이가 가장 빨랐지만 아랍에미리트에서 가장 인구가 많고 부유한 부족의 도시는 수도 아부다비이다.

두바이국제영화제의 성공을 지켜본 아부다비영화제는 왕궁으로 짓고 있던 7성급의 에미리트팰리스Emirates Palace를 영화제의 메인 베뉴로 쓰기로 결정한다. 호화로운 에미리트팰리스는 금가루를 입힌 황금 기둥으로도 유명하다. 부호를 꿈꾸는 많은 사람들이 찾고 싶어 하는 곳이지만 그곳 역시 누구나 자유롭게 출입할 수 있는 곳은 아니고, 특별한 출입허가를 받지 않은 사람은

2014년 아부다비영화제 개막식

골드바를 인출할 수 있는 자동판매기

에미레이트 팰리스의 화려한 천장 문양

40불을 지불해야 한다. 아무나 입장하는 것을 막는 확실한 통제 조치로 40불을 내면 바우처를 주고 그 바우처를 팰리스 안에서 쓸 수 있다. 여기서 내 시선을 끌었던 것은 1온스의 골드바를 신용카드로 구매할 수 있는 자동판매기였다. 에미리트팰리스는 영화제 행사를 진행하기에는 지나치게 화려하고 멋있어서 오히려 참가자들이 소외되는 듯한 역기능도 있는 곳이었다.

아부다비영화제도 두바이영화제와 마찬가지로 전반적으로 예술영화 관객이 부족했다.

아랍의 영화제들 3
도하국제영화제

Doha Film Festival

영어를 포함한 여러 언어를 자유롭게 구사하고 영화제 운영 경험이 있는 동유럽 국가의 인력들이 중동의 신생 영화제들에 스카웃되던 시기였다. 루마니아 클루지Cluj에서 젊은 영화인들이 주축이 돼 창설한 트란실바니아국제영화제Transilvania International Film Festival에서 부위원장으로 일했던 미하이 글리고르Mihai Gligor 씨가 도하국제영화제 초청팀장으로 옮긴 사례처럼, 동유럽 영화제의 숙련된 영화제 인력들이 5배 이상의 연봉을 약속받고 옮겨가곤 했다.

어느 날, 트란실바니아영화제에 갔을 때 내게 친절히 대해 줬던 미하이로부터 이메일을 받았다. "카타르 공주님Her Highness Sheikha Al-Mayassa bint Hamad bin Khalifa Al Thani의 지시가 있었어요. 전 세계 모든 코너에서 영화를 가장 사랑하는 사람을 불러서 도하에서 멋진 영화제를 창설하라는 거에요. 한국에서는 당신이 분명히 그런 사람이겠지요"라는 내용이었다. 긍정적인 답변을 보내고 얼마 되지 않아 나는 도하로 향하게 되었다.

도하영화제는 아랍에미리트 두 개의 영화제에서 경험한 부를 한 차원 뛰어넘는 가장 부유한 영화제였다. 제1회 도하영화제는 딱 50편의 단편 영화를 상영했는데, 초청한 단편 영화감독들에게 모두 항공권과 5성급 호텔의 상징인 포시즌스호텔을 제공했다. 매일 저녁마다 수영장에서 리셉션이 열리고 식음료가 무한정 제공됐다. 포시즌스호텔에서 열리는 리셉션에 초대된 날, 거대한 접시 위에 산더미처럼 쌓여있는 음식이 보이길래 혹시 내가 기피하는 닭인가 했더니, 놀랍게도 바닷가재였다. 그렇게 많은 바닷가재를 제공하는 영화제는 전무후무할 것이다.

영국의 고급 승용차 재규어 70대가 매일 18시간 동안 게스트들을 운송하기 위해 대기하고 있었는데 영화제의 공식 일정은 물론 개인적인 용무로도 항상 이용할 수 있었다. 그러한 상상을 초월하는 호화판 서비스가 과연 영화인들을 위한 것인지 호스트의 자기만족을 위한 것인지 알 수 없었다.

내게는 포시즌스호텔이 제공되지 않고 W호텔이 제공돼 의아해했는데, 막상 호텔에 도착해보니 거실에서도, 서재에서도, 침실에서도 3면으로 바다가 보이는 스위트룸이어서 만족스러움과 동시에 너무 지나친 것은 아닌가 하는 생각이 들었다.

과거 아랍의 영화제들이 거장 감독을 심사위원장이나 마스터클래스에 초대하기 위해서 고액의 반대급부를 제공하던 운영 방식은 국제영화제계의 초청 질서를 어지럽히는 결과를 빚었고, 영화인들이 영화제를 돈벌이의 수단으로 생각하게 하는 잘못된 관행을 낳기도 했다. 어떤 경우에도 영화제가 배금주의에 의해서 좌지우지되면 안 된다.

도하영화제는 초기에 트라이베카영화제와 손을 잡고 로버트 드 니로Robert

De Niro가 '도하의 기적'처럼 나타나 열광적인 환대를 받기도 했다. 또 재능 있는 카타르 젊은이가 원하기만 하면 뉴욕의 영화학교에 100퍼센트 국비 지원으로 보내주는 프로그램을 운영하기도 했다. 샌프란시스코국제영화제에서 예술감독으로 활약했고 아부다비국제영화제에서 운영위원장을 맡은 적이 있는 피터 스칼렛Peter Scarlet 씨가 도하에서 예술감독으로 활동했는데, 내가 자연스럽게 초청을 받고 후대를 받았던 이유는 그와의 개인적 인연 때문이 아니었을까.

게스트들과 함께하는 간단한 체험 투어도 있었는데, 옛날 카타르의 어부들이 타던 전통적인 배를 타고 바다로 나갔다. 원하는 이들은 수영도 할 수 있었는데 염도가 높은 사해라 바다에 몸이 저절로 둥둥 떠서 위험하지 않았다.

그후 도하영화제는 도하필름인스티튜트Doha Film Institute를 통해 프로젝트 마켓을 설립해 아랍영화 프로젝트를 지원하는 등 발전을 꾀했고, 도하 항구에 이슬람 박물관, 구겐하임 도하, 루브르 도하 등을 만들며 서구 문화를 활발하게 유입했다. 영화제를 앞다투어 창설했던 수니파 아랍국가들의 왕족들은 이슬라믹 스테이트Islamic State의 대두와 더불어 어느 순간 영화제의 문을 닫아 버렸고, 그 누구도 영화제를 중단한 이유를 공식적으로 설명하지 않았다.

사우디아라비아의 제다Jeddah에서 2020년 3월 제1회 홍해국제영화제Red Sea Film Festival가 창설될 예정이었으나 팬데믹 사태로 취소되었고 2021년 12월에 제1회 영화제가 열렸다. 홍해영화제가 아랍 영화인들의 새로운 안식처가 될지는 지켜봐야 할 일이다.

아랍과 북아프리카 국가들의 영화를 소개하고 프로젝트를 지원하던 아랍의 영화제들이 붕괴되면서 아랍과 북아프리카 영화계가 가장 큰 타격을 받았다. 그 역할을 마라케쉬영화제, 엘구나영화제, 또는 홍해영화제가 대신 할 수 있기를 기대해 본다.

아랍의 영화제들 4
마라케쉬국제영화제

Festival International du Film de Marrakech

마라케쉬국제영화제
매년 12월 초 모로코의 마라케쉬에서 열리는 2001년에 창설된 국제영화제이다. 칸영화제 출신 영화제 전문가들과의 협업으로 프랑스적인 분위기를 엿볼 수 있다.

모로코는 과거 프랑스 식민지 시절의 영향으로 프랑스의 정치·문화적 영향이 아직도 남아있다. 왕정 체제와 권위주의, 지배 엘리트들의 사회통제와 검열이 여전히 존재하는 국가이다. 최근에는 조금 달라졌지만, 처음 영화제를 방문했을 때만 해도 일반 시민들은 보이지 않고, 불어로 소통이 가능하고, 불어 자막을 이해할 수 있는 지식인들만 영화관을 찾는 듯한 느낌이었다.

마라케쉬영화제를 참석하게 된 직접적인 이유는 프랑스의 홍보 회사인 퍼블릭 시스템과의 오랜 인연 때문이다. 퍼블릭 시스템은 칸국제영화제 경쟁부문에 초청된 영화들을 프랑스 전역에 홍보하는 업무를 맡고 있다. 퍼블릭 시스템은 영화제 운영에도 관심이 많아 홍보 업무와 동시에 프랑스 내에서 도빌아메리카영화제Deauville Festival du Cinema American, 지금은 중단된 도빌아시아영화제Deauville Asian Film Festival, 스릴러 영화 중심의 코냐크Cognac에서 개최되는 코냐크영화제Festival du Film Policier de Cognac 등을 운영하고 있다.

마라케쉬영화제는 퍼블릭 시스템과 칸영화제 감독주간에서 일했던 사람들이 함께 운영했고, 프랑스영화 상영을 위주로 프랑스인 게스트들이 주로 많이 참석하는 영화제다. 오랫동안 베를린국제영화제의 인터내셔널 포럼을 이끌었던 크리스토프 테레히테 씨가 3년 동안 예술감독으로 일했고, 현재는 칸 비평가주간 사무국장이었던 레미 봉옴므Rémi Bonhomme 씨가 예술감독을 맡고 있다.

2018년 12월, 18년 동안 베를린영화제 인터내셔널 포럼을 이끌었던 크리스토프 테레히테 위원장이 예술감독을 맞은 첫 해인 제17회 마라케쉬영화제의 개막식에 참석했다. 아마도 그가 마라케쉬영화제로 옮길 수 있었던 이유는 불어를 구사할 수 있기 때문일 것이다.

경쟁부문 심사위원장인 제임스 그레이James Gray 감독을 필두로 9명의 심사

마라케쉬영화제 개막식. 무대 장식과 조명 등 분위기가 칸영화제의 개막식과 유사하다

마라케쉬영화제 개막 리셉션. 칸영화제의 크리스티앙 쥔 영화부문 위원장

위원이 돌아가면서 모국어로 개막 선언을 하는 모습은 모든 면에서 칸영화제와 유사한 느낌을 주는 개막식의 인상적인 피날레였다.

모로코 국왕인 모하메드 6세와 물라이 엘 하산 왕세자 그리고 물라이 라시드 왕자가 주최하는 로얄 디너에 초대를 받았다. 겹겹이 진을 치고 있는 보안 요원들에 의한 신원 확인 절차를 거친 후 문화회관 팔레 데 콩그레의 연회장에 들어가니 게스트 수보다 더 많은 웨이터들, 접객원들, 보안 요원들이 기다리고 있다. 아랍권 국가의 파티가 언제나 그렇듯이 음악이 빠질 수 없는데 이번엔 고전음악과 영화음악을 연주할 오케스트라가 대기하고 있다. 사진 촬영을 엄격하게 통제해서 많은 커트를 찍지는 못했다. 4번 테이블에 배정됐는데 나의 대화 상대는 부산에도 온 적이 있는 칸영화제 황금종려상에 빛나는 루마니아의 크리스티안 문주Cristian Mungiu 감독이다. 옆 테이블에 있는 캐머런 베일리 토론토국제영화제 예술 감독, 크리스티앙 죈 칸영화제 영화부문 위원장 등 여러 국제영화제 위원장들과 인사를 나누었다.

2008년에 경험한 마라케쉬영화제의 로얄 디너는 가금류 공포증을 갖고 있는 내게는 결코 꿈에서도 가고 싶지 않은 자리지만, 해외 친구들과의 네트워킹을 생각하면 가지 않을 수도 없다. 10인 원형 테이블에 약 20인분의 음식 여섯 가지가 나오는데 그해의 메뉴 역시 나의 불길한 기대를 저버리지 않았다. 샐러드-칠면조-농어-닭 샌드위치-닭-송아지 고기-송아지 도가니. 농어를 제외한 거의 모든 코스를 건너뛰었기에 접시를 바꿀 필요가 없었다. 디너는 불만족스러웠지만 아녜스 바르다Agnes Varda 감독, 마틴 스코세이지Martin Scorsese 감독, 로버트 드 니로 배우를 보는 즐거움은 있었다.

도빌아시아영화제

Deauville Asian Film Festival

클로드 를르슈Claude Lelouch 감독의 〈남과 여A Man and A Woman〉(1966)를 촬영했던 프랑스 도빌에서 열리는 도빌아시아영화제는 독립영화보다는 주류영화를 소개한다. 그 영화제는 한국 주류영화 감독과 배우들을 프랑스와 프랑스 언론에 널리 알리는 긍정적인 역할을 했다.

도빌아시아영화제는 1999년에 창설되었고 다음 해인 2000년에 경쟁부문이 신설되었다. 영화제 초기부터 한국영화가 큰 상을 수상했다. 2000년에 이명세 감독의 〈인정사정 볼 것 없다Nowhere To Hide〉(1999)가 최우수작품상인 황금연꽃상과 촬영상을 수상했고, 2001년에 박찬욱 감독의 〈공동경비구역 JSAJoint Security Area〉(2000)가 황금연꽃상과 관객상을, 그리고 2002년에 송해성 감독의 〈파이란Failan〉(2001)이 황금연꽃상, 감독상, 관객상, 남우주연상의 4관왕을 차지하는 등 영화제의 초창기부터 한국영화는 크게 주목을 받았고, 한국의 국제적인 영화인들이 프랑스에 널리 알려지는 계기가 됐다. 우리에게 상당히 중요한 영화제였으나 아쉽게도 2015년 재정 문제로 인해 중단되었다.

유럽과 미국의 아시아영화제들

1999년에 시작돼 사브리나 바라체티Sabrina Baracetti 집행위원장이 현재까지 이끌고 있는 우디네극동영화제Udine Far East Film Festival, 1999년 뉴욕 서브웨이시네마Subway Cinema의 창설자 고란 토팔로비치Goran Topalovic 씨에 의해서 2002년 만들어져 링컨센터Film at Lincoln Center에서 개최되는 뉴욕아시아영화제New York Asian Film Festival, 2003년 리카르도 젤리Riccardo Gelli 집행위원장이 만든 피렌체한국영화제Florence Korea Film Fest, 배용재 집행위원장이 2004년 창설한 파리한국영화제Fetival du Film Corean a Paris, 브줄국제아시아영화제Vesoul International Film Festival of Asian Cinema, 도빌아시아영화제, 그리고 프리페스티벌 포함 2015년 출범한 런던동아시아영화제London East Asia Film Festival 등 한국영화나 아시아영화에 중점을 두고 세계적인 대도시나 주요 영화 생산국에서 열리는 영화제들은 규모와 관계없이 한국영화의 세계화라는 관점에서 볼 때 매우 중요한 역할을 하고 있다.

2016년 부산국제영화제 기간 중 그 영화제들을 대표하는 집행위원장이나 프로그래머가 대부분 참가했을 때 상호교류와 협력을 증진시키기 위한 방안을 의제로 설정하고 간담회를 조직한 적이 있다. 한국어를 구사할 수 없는 토

우디네극동영화제의 개막식장이며 메인 베뉴인 누오보조바니극장

의자가 여럿 있었기 때문에 영어로 진행했고 내가 모더레이터를 맡았다. 진솔한 대화가 오가는 가운데 경제적·행정적 어려움을 토로하는 화자도 있었고, 다들 매우 유익한 시간이었다고 평가했다. 정기적인 논의의 장으로 이러한 네트워킹의 기회가 매년 열렸으면 하는 것이 모두의 바람이었다.

그러나 그들의 역할을 중시하고 부산영화제가 힘닿는 대로 도와야 한다는 내 생각과 영화제 직원들과 프로그래머들의 생각은 정반대였다. 해외 영화제 집행위원장들을 부산영화제가 지나치게 후대함으로써 그들이 계속 이용하려고만 들고 때때로 거만하게 행동한다는 것이 주된 반대 이유였다. 그들의 지적이 일면 사실일 수도 있고, 또 사람에 따라 달리 행동하는 집행위원장이 있을 수는 있다. 사실 나는 몇 년 동안 지속되고 있는 이러한 불신을 해소하

한국영화를 해외에 널리 소개한 나의 노력을 높이 평가하여 개막식에서 내게 공로상을 수여한
리카르도 젤리 피렌체한국영화제 집행위원장 (중앙)

고 조정하기 위해서 간담회를 소집한 것이었다.

사람 사는 곳에서는 항상 의견 충돌이 발생하고 갈등이 빚어지기 마련이다. 우디네극동영화제와 피렌체한국영화제의 경우도 한국 외교부에서 지원하는 지원금을 두고, 또 한국영화 타이틀을 두고 피하기 어려운 갈등이 발생하곤 한다. 그리고 그 영화제들은 공적자금 지원이 거의 없는 개인 영화제이기 때문에 심각한 경제적인 문제로 중단될 수도 있고, 도덕성 문제가 떠오를 수도 있다. 그렇지만 국제영화제로서 정기능을 행사할 수 있게 서로 협력할 필요는 있는 것이다. 나는 부산영화제가 이 영화제들의 오늘날이 있기까지 적지 않게 기여했다고 생각하고, 동시에 그들 영화제들의 조력으로 부산영화제의 황금기도 만들어졌다고 굳게 믿는다.

스칸디나비아의 영화제들 1
예테보리국제영화제

Göteborg Film Festival

예테보리국제영화제
스칸디나비아에서 가장 큰 국제영화제로 북유럽 영화를 위한 경쟁 부문과 프로젝트 마켓인 노르딕 필름 마켓을 운영하고 있다.

스칸디나비아 지역에서 열리는 가장 중요한 영화제는 스웨덴의 제2의 도시이자 항구도시인 예테보리에서 매년 2월 초에 개최되는 예테보리국제영화제이다. 그 영화제의 홈은 천여 석 규모의 '용'이란 뜻을 가진 드라켄극장Draken Cinema인데, 그 외 몇 개의 상영관에서 약 400여 편의 초청작을 상영하고, 수백 명의 해외 게스트들이 참가한다. 예테보리영화제는 예산의 많은 부분을 입장권 판매 수입에 의존할 정도로 관객들이 많이 찾는 대중적인 영화제이다. 영화제 규모는 큰 편이지만 전체 예산은 우리 돈으로 환산하면 50억 원 정도인데, 예산을 절약하기 위해 게스트들에게 3성급 호텔을 제공한다. 게다가 개최 시기가 로테르담국제영화제 직후인 2월 초이기 때문에 게스트 초청 비용의 일부를 그 영화제와 공동으로 부담하는 운영 방식을 활용하고 있다. 북유럽의 뛰어난 노동 생산성과 효율적 조직 운영이 결합돼 많지 않은 예산으로 영화제의 효과를 극대화하는 점은 우리가 배워야 할 덕목이다.

예테보리영화제는 베를린국제영화제 직전에 열리기도 하고 북유럽의 완성된 신작들을 확인할 수 있으며 새로운 프로젝트들도 접할 수 있는 곳이기 때문에 열 번 이상 참석했다. 개인적으로 존경하며 스웨덴 영화계에서 잉마르 베르만Ingmar Bergman 감독 다음으로 높은 평가를 받는 〈이민자들The Emigrants〉(1971)의 얀 트로엘Jan Troell 감독도 예테보리에서 만날 수 있었다. 스웨덴필름인스티튜트Swedish Film Institute의 타계한 구나 알머Gunnar Almér 씨의 적극적인 도움으로 그를 부산에 초대할 수 있었다. 트로엘 감독의 〈이민자들〉은 19세기를 배경으로 하는 작품으로 젊었을 때 사회주의자였던 트로엘 감독의 냉소적이고 암울한 세계관을 보여주는 수작이다. 트로엘 감독은 테니스를 좋아해서 부산 체류 중 김동호 이사장과 테니스 경기를 두 번이나 하기도 했다.

예테보리영화제의 메인 상영관 드라켄 극장

노르딕필름마켓의 리셉션

스웨덴의 예테보리는 비싼 물가로 유명하지만, 적은 비용으로 효과적인 운영을 하는 모습은 영화제 리셉션에서도 고스란히 드러난다. 멋지게 인쇄된 초청장의 외양과는 달리 허례허식이 전혀 없다. 초청장을 가진 사람들만 입장이 가능했고, 음식이 있기는 하지만 성찬이 준비돼 있는 것은 결코 아니다. 생선 스프와 빵, 샐러드, 와인이 리셉션 디너 메뉴의 전부다. 그러한 소박한 런치나 디너는 우리네 영화제들이 불과 몇백만 원 정도의 예산으로도 충분히 가능한 정도인데, 보고 배워야 할 검박함의 표본이다. 리셉션에 가면 따뜻한 생선 스프가 있고 정다운 친구들과 끝없이 영화이야기를 나눌 수 있다. 낭비에 가까운 우리의 화려한 리셉션과 너무나 대비되는 풍경이다.

2019년 2월, 평소에는 예술영화 전용관으로 운영되는 예타Göta를 찾았다. 부산국제영화제에서의 첫상영에 이어 예테보리영화제의 신인 감독을 위한 잉마르 베르만 경쟁부문The Ingmar Bergman Competition에 초대된 〈선희와 슬기Second Life〉(2018)의 마지막 상영을 보기 위해서였다. 작은 상영관 4개가 있는 예타는 예술영화를 지키는 보루같은 곳이었다. 현대화란 미명 아래 상업영화만을 위한 공간으로 전락한 채 나날이 객석 점유율이 하락하며 위기 상황에 놓여 있는 국내 멀티플렉스 문화를 다시 생각하게 했다.

1억 원(80만 스웨덴 크로나)의 저예산으로 제작된 〈선희와 슬기〉에 대한 관객들의 반응은 매우 호의적이었다. 박영주 감독과 연기 경력 5년의 어린 고교생 정다은. 두 젊은 영화인은 쏟아지는 관객들의 질문에 차분한 어조로 영화에 대한 무한한 애정이 담긴 답변을 전달함으로써 모두를 기쁘게 했다. 특히 그곳 예테보리 학원에서 한국어를 배웠다는 모더레이터 예니 씨의 통역 실력은 나를 놀라게 했다.

스칸디나비아의 영화제들 2
하게순트국제영화제

Norwegian International Film Festival Haugesund

하게순트국제영화제
매년 8월 중순 노르웨이의 해양 휴양지 하게순트에서 열리는 50여 년 역사의 비경쟁영화제이다. 노르웨이국제영화제라고도 불린다.

스칸디나비아 지역에는 규모는 크지 않아도 다양한 영화 프로그램과 기획이나 제작 단계에 있는 영화 프로젝트를 소개하는 프로젝트 마켓이 결합된 주목할 만한 영화제들이 몇 개 있다. 그중 하나가 매년 8월 열리는 하게순트국제영화제이다.

2015년 8월 17일부터 나흘간 그곳에서 열린 미니 영화마켓 뉴노르딕필름즈New Nordic Films에 다녀왔다. 스웨덴 예테보리국제영화제의 노르딕필름마켓Nordic Film Market과 비교해서 규모는 작지만 새로운 북유럽영화들과 스칸디나비아 국가들의 영화인들과 영화진흥위원회 인사들을 두루 만날 수 있는 자리였다. 특히 과거에 비해 주목을 받고 있는 노르웨이의 다양한 장르영화들을 볼 수 있고 '웍스 인 프로그레스Works in Progress'라는 프로그램을 통해 현재 후반작업을 하고 있는 최신작들을 접할 수 있었다.

3일 동안 열리는 뉴노르딕필름즈는 로테르담국제영화제의 시네마트를 벤치마킹한 프로젝트 마켓으로 모든 프로젝트 마켓 관계자가 한 번쯤은 참석해 볼 필요가 있다. 모든 프로젝트가 영어로 소개되는 등 매우 효율적인 진행을 보여준다.

노르웨이는 세계에서 가장 국민소득이 높은 부국이다. 세계적인 여배우 리브 울만Liv Ullmann이 하게순트영화제 명예 조직위원장Honorary President을 맡고 있지만, 중동의 영화제들에서 보이는 호화로움과는 거리가 멀다. 대부분의 게스트는 3성급 호텔에 묵으면서 도보로 이십여 분 정도 걸리는 상영관까지 하루에 두세 번씩 걸어 다닌다.

하게순트영화제의 메인 상영관 에다

하게순트영화제 메인 호텔 앞 마릴린 먼로 동상

하게순트 항구에서 몇 킬로미터 떨어진 등대가 있는 작은 섬을 다녀오는 영화제 보트 투어에 참가한 적이 있다. 선실이 없는 고무보트 위에 매달려 가는 여행이라 호기심은 일었지만 선뜻 간다고 하기에는 덜컥 겁이 좀 났다. 그러나 투어에 참가하겠다는 영화제 게스트들이 많아 용기를 내서 가기로 했다. 출발하기 전 우리는 '서바이벌 수트'를 지급받았다. 관계자의 설명에 따르면, 그 수트를 입으면 거친 파도의 바다에서도 보온과 방수가 완벽하게 돼 둥둥 떠 이삼일은 버틸 수 있다고 한다. 익사할 위험이 전혀 없는 옷이라는 설명을 듣고 수트를 입으니 불안한 느낌이 사라졌다.

보트에 승선해 맨 앞은 앉기가 두려워 중간 자리를 택했는데, 놀랍게도 나를 초청한 영화제 프로그래머 기다 벨빈 미클레부스트Gyda Velvin Myklebust가 바이킹의 여전사처럼 맨 앞자리를 자청해 우리를 선도했다. 10여 명 모두 반쯤 엎드린 자세를 취했고 고무보트가 빠른 속도로 전진하자 잊고 있던 불안감이 엄습했다. 그러나 서바이벌 수트를 입고 있다는 생각이 나를 진정시킬 때쯤 우리는 목적지인 섬에 도착했다. 처음 입어본 그 수트는 아마도 바이킹 시절부터 거친 바다와 싸우면서 항해해야 했던 스칸디나비아인들의 발명품일 것이다. 중세시대 바이킹의 역사와 과학을 잠시 생각해 본 데이 투어였다.

스칸디나비아의 영화제들 3
스톡피쉬영화제

Stockfish Film Festival

스톡피쉬영화제
예술영화에 집중하자는 기치를 걸고 2015년에 아이슬랜드의 수도 레이캬비크에서 창설된 비경쟁영화제이다. 매년 3월 말에 열리는 모든 행사는 아이슬랜드의 유일한 예술영화관인 비오 파라디스에서 진행된다.

아이슬란드의 수도 레이캬비크에서는 레이캬비크국제영화제Reykjavík International Film Festival가 매년 9월에 열린다. 그런데 아이슬란드 영화계의 대부라고 할 수 있는 프리드릭 토르 프리드릭슨 감독이 예술영화가 중심이 되는 영화제

스톡피쉬영화제의 메인 베뉴 비오파라디스극장

아이슬란드 영화계의 대부 프리드릭 토르 프리드릭슨 감독과 《버라이어티》의 리뷰어 엘리사 사이먼

의 필요성을 주창하면서 스톡피쉬영화제가 시작되었다. 2019년 프리드릭슨 감독의 초청으로 내겐 미지의 국가였던 아이슬란드와 스톡피쉬영화제를 처음으로 경험할 수 있었다. 국제영화제에서 수상한 20여 편의 극영화와 다큐멘터리, 그리고 단편영화들이 상영되는 그 영화제의 홈은 비오파라디스Bio Paradise로 모든 공식 상영과 인더스트리 행사가 그곳에서 이루어진다. 스톡피쉬영화제는 전체 예산이 5억이 채 되지 않는, 부유한 나라 아이슬란드의 가난한 영화제였는데 여느 영화제 못지않게 예술영화에 대한 무한한 사랑이 넘쳐나 정서적으로 풍요로운 경험이었다.

“현금은 너무 낡았다Cash is too old”

레이캬비크에 오는 데 꼬박 24시간이 걸렸다. 스톡피쉬영화제에서는 헬싱키에서 레이캬비크로 오는 직항편이 아닌 오슬로를 경유하는 저렴한 항공권을 제공했기 때문에 헬싱키 공항에서 5시간을 기다려야만 했다. 출발 전 감기 기운이 있어 몸 상태가 엉망인 데다가 연결편이 연발돼 마지막 연결편을 놓칠 수도 있는 우여곡절 끝에 마침내 레이캬비크에 도착했다.

호텔에 들어서자마자 혼절하듯이 잠에 빠져들었다. 겨우 5시간 정도 수면을 취했으나 컨디션은 괜찮은 편이었다. 서울, 부산과 소셜 미디어로 연락을 취하고, 홍콩국제영화제, 아시안필름어워즈아카데미Asian Film Awards Academy와 몇 차례 메일을 주고받으니 금세 날이 밝았다.

아이슬란드 크로나가 필요해 호텔에서 15분 거리에 있는 아리온 은행에 가기로 했다. 지난 1월 스웨덴 예테보리 출장 때에도 느낀 것이지만, 스칸디나비아에서는 환전소가 점점 사라지고 현금 사용도 현저하게 줄어드는 경향이 두드러진다. 거기서 많은 사람들이 “현금은 너무 낡았다”고 믿고 있다. 돌아오는 길에 24시간 편의점에 들러 1리터들이 생수 한 병을 샀다. 가격은 무려 499크로나(4유로). 세계 최고 수준의 청정지역에서 생산된 물이고, 편의점 가격이라는 점을 감안해도 너무 비싸다. 그래도 식당에서는 무상으로 수돗물을 제공한다. 국가 부도가 나기 전의 아이슬란드는 부국이면서 물가가 너무 비싸 부자들만이 방문할 수 있었다는 말이 실감된다. 현재 물가는 40% 정도 내려간 상태라고 한다.

그렇게 물가가 비싸고 인건비 높은 나라에서 5억 원에 훨씬 못 미치는 초저예산으로 예술영화와 다큐멘터리를 지원하는 스톡피쉬영화제 친구들에게 갑자기 미안한 생각이 들었다. 그들은 나에게 항공권을 제공하기 위해 최선을 다했던 것이다. 누구에게나 배울 점은 있다. 스톡피쉬영화제에서 그동안 잃어버린 것 같았던 초심, 즉 가난했지만 영화에 대한 열정으로 행복했던 나날들을 다시 떠올려 본다.

볼로냐고전영화제

Il Cinema Ritrovato

볼로냐고전영화제
영화의 역사를 연구하고 전 세계에서 최근에 복원된 작품들을 상영하고 논의하기 위해 1986년 이탈리아의 볼로냐에서 영화복원기관인 치네테카디볼로냐에 의해 창설된 국제영화제로 매년 6월 말에 개최된다.

2019년 부산국제영화제 해외 자문위원인 테레사 카비나 씨의 소개로 초대를 받아 볼로냐고전영화제Il Cinema Ritrovato에 처음으로 가게 됐다. 그곳은 디지털 방식으로 복원된 고전영화 걸작들을 프로그래밍하는 영화제들이 매년 꼭 찾는 곳이고, 한국 영상자료원도 한국 고전영화 복원작업을 치네테카디볼로냐Cineteca di Bologna에 의뢰하기도 한다.

오전 7시 아침 식사 후 영화제 카탈로그에서 프로그램과 상영장 위치를 살펴보고 장 르누아르Jean Renoir 감독의 〈토니Toni〉(1935) 복원판을 다시 보기 위해 호텔을 나섰다. 1970년대 중반 고등학생 시절 서울 종로구 사간동에 위치했던 프랑스문화원에서 처음 본 후 무려 44년 만에 다시 스크린을 통해 만나는 감흥은 말로 형언하기 어렵다. 청소년 영화광에서 초로의 영화행정가로 개인적 삶은 변했고, 우리의 삶도 군사 독재에서 자유를 구가하는 시대로 나아갔다. 월요일 오전 9시 첫 상영이라 전체 좌석 300여 석 중 절반만 찼지만

마지오레 광장의 야외 상영장

1930년대 흑백영화란 점을 감안하면 관객들의 호응이 좋은 편이었다.

다음 행선지는 작은 야외 상영장 포함 3개의 스크린이 있는, 일 치네마 리트로바토의 메인 베뉴 뤼미에르 영화관이었다. 마틴 스코세이지 감독과 국민배우 마르첼로 마스트로야니Marcello Mastroianni의 성을 따서 명명한 두 개의 상영관이 인상적이었다.

오후 3시에는 영화제 집행위원장이자 치네테카디볼로냐의 원장인 잔 루카 파리넬리Gian Luca Farinelli 씨와 미팅을 가졌다. 사실 볼로냐에 온 이유는 '부산클래식' 섹션에 상영할 영화를 선정하기 위함이지만, 더 큰 목적은 부산영화제와 영화의전당이 통합될 때보다 전문적이고 체계적인 고전영화 프로그래밍과 작품 수급을 하기 위한 것이었다. 그 훌륭한 영화제에 영화행정가가 되고자 하는 우리의 젊은이들이 해마다 참가해, 영화에 대한 애정과 열정을 배우고 생동적인 영화 역사를 공부하기를 진심으로 바란다.

얼마 전 복원된 이만희 감독의 〈휴일A Day Off〉(1968)을 보고 난 후, 한국영상자료원 직원들과 함께 있는 김수용 감독을 우연히 만나 반갑게 인사를 드렸다. 오래전 한일문화교류기금의 초청으로 도쿄에 동행했던 적은 있지만 유럽에서는 처음 뵌 것이다. 김수용 감독은 1967년 작품 〈안개Mist〉(1967)의 복원판 상영과 함께 초대를 받으셨다. 거동이 조금 불편해 보였기 때문에, 속으로 그분의 건강을 기원했다.

밤 9시 45분에는 마지오레 광장에서 상영되는 루이스 부뉴엘 감독의 〈잃어버린 사람들Los Olvidados〉(1950)을 다시 보러 갔다.

2018년 6월 17일부터 21일까지 제23회 상하이국제영화제에 다녀왔는데, 세 번째 방문이었다. VIP 게스트로 초대를 받아 비서 역할을 하는 자원봉사자와 전용 차량 서비스도 제공받고 하루 세 끼를 호텔에서 해결할 수 있는 특전이 주어졌지만, 공식적으론 게스트 리스트에 등재되어 있지 않은 이상 신분이었다. 한한령이 해제되지 않아서였다. 그래서인 아시아나 유럽에서 온 친구들은 내가 오는 줄 몰랐다는 말을 곁들이면서 나를 볼 때마다 투명인간Invisible man이라 놀렸다. 처음 상하이국제영화제에 왔을 때와 마찬가지 영화제 상영관에서 영화를 보기는 매우 어려웠지만 개의치 않았고 아주 중요한 신작들은 힘들게 표를 구해서 관람을 했다. 지아 장커 감독, 지앙 웬Jiang Wen 姜文 감독 등 중국의 명망 있는 영화인들뿐만 아니라 완다 영화그룹의 존 쩽John Zeng 총재 등 중국 영화산업의 주요 인사들을 만났고, 친중 인사로 전환해 가고 있는 유럽의 영화행정가들도 만났다.

상하이국제영화제

핑야오와호장룡국제영화제

알마티국제영화제

마카오국제영화제

동유럽의 영화제들

브줄국제아시아영화제

《Asian Movie Purse》와의 인터뷰

국제영화제를 위협하는 경제적, 보건적, 정치적 위기

새로운 출발

다시 영화제로

한국영화가 세계인들의 주목을 받고 있는 오늘날
국내 어디에도 제대로 된 한국영화박물관이 존재하지
않는다는 사실은 우리 모두를 슬프게 한다. 더 이상
말로만 한국영화 사랑을 떠드는 위선자들의 말에 귀를
기울여서는 안 된다. 그 장소가 처음 한국영화박물관
설립 주장이 나왔던 부천이든, 부산이든 영화행정가들,
영화학자들, 영화평론가들, 영화아키비스트들
등 한국영화를 사랑하는 모든 이들의 힘을 모아
한국영화박물관의 구체적인 건립계획에 대한 논의를
하루바삐 시작해야 할 것이다.

상하이국제영화제

Shanghai International Film Festival

상하이국제영화제
중국에서 가장 큰 아시아의 대표적인 경쟁영화제이지만 중국 정부의 강력한 지원과 통제를 동시에 받고 있다.

2018년 6월 17일부터 21일까지 제23회 상하이국제영화제에 다녀왔는데, 세 번째 방문이었다. VIP 게스트로 초대를 받아 비서 역할을 하는 자원봉사자와 전용 차량 서비스도 제공받고 하루 세 끼를 호텔에서 해결할 수 있는 특전이 주어졌지만, 공식적으론 게스트 리스트에 등재되어 있지 않은 이상한 신분이었다. 한한령이 해제되지 않아서였다. 그래서인지 아시아나 유럽에서 온 친구들은 내가 오는 줄 몰랐다는 말을 곁들이면서 나를 볼 때마다 투명인간Invisible man이라고 놀렸다. 처음 상하이국제영화제에 왔을 때와 마찬가지로 영화제 상영관에서 영화를 보기는 매우 어려웠지만 개의치 않았고 아주 중요한 신작들은 힘들게 표를 구해서 관람을 했다. 지아 장커 감독, 지앙 웬Jiang Wen 姜文 감독 등 중국의 명망 있는 영화인들뿐만 아니라 완다 영화그룹의 존 젱John Zeng 총재 등 중국 영화산업의 주요 인사들을 만났고, 친중 인사로 전환해 가고 있는 유럽의 영화행정가들도 만났다.

시진핑 주석은 '중국의 세계화'라고 할 수 있는 일대일로一帶一路 One belt, One

상하이국제영화제 영화부문으로까지 확대된 일대일로 정책

VIP 대우를 받지만 투명인간이었던 게스트

road 정책을 통해 육상과 해상 실크로드를 세계로 잇고 있다. 이 정책을 영화제 행사에서도 충실하게 실현하고 있는 베이징국제영화제와 함께 상하이영화제는 '일대일로 국제영화제 연합'이라고 불리우는 국제 패널을 주관했다. 시진핑 주석이 몇 해 전 카자흐스탄과 인도네시아에서 주창한 신 실크로드론을 영화에 대입한 행사가 일대일로 국제영화제 연합이다.

모스크바국제영화제, 바르샤바국제영화제, 소피아국제영화제, 카이로국제영화제, 트란실바니아국제영화제 등 국제영화제들과 뉴질랜드필름커미션, 조지아필름커미션, 폴리쉬필름인스티튜트 등 각국의 영상 위원회와 영화진흥위원회들이 포함된 총 30개의 국제 영화기관들을 상하이로 불러 중국영화의 세계화를 꾀하는 시도가 막대한 자금력을 바탕으로 시작됐고 코로나19

시기가 도래하기 직전까지 지속적으로 전개됐다. 아직은 옛 공산권 국가들, 제3세계권에 속하는 국가들과 중국의 경제력에 절대적으로 의존하는 국가들에 국한돼 있지만 지속적으로 확대될 경우 한국영화나 국내 영화제들의 입지는 매우 좁아질 걸로 예상되니 반드시 중기적인 대책이 필요하다.

상하이영화제 기간 중에 열린 핑야오와호장룡영화제
홍보 리셉션에서 만난 지아 장커 감독,
마르코 뮐러 집행위원장(전 베니스영화제 예술감독)

영화제 기간 중 오전에 일찍 시간을 내 상하이 영화 박물관을 둘러보았다. '빛과 어둠의 기억들'로 명명된 4층 전시홀은 중국영화에 대한 자긍심이고 1세기 동안 중국영화를 선도해 온 영화천재들에 대한 헌사이자 상하이 스튜디오 시대의 영화로움에 대한 추억을 자랑스럽게 보여준다.

한국영화가 세계인들의 주목을 받고 있는 오늘날 국내 어디에도 제대로 된 한국영화박물관이 존재하지 않는다는 사실은 우리 모두를 슬프게 한다. 더 이상 말로만 한국영화 사랑을 떠드는 위선자들의 말에 귀를 기울여서는 안 된다. 그 장소가 처음 한국영화박물관 설립 주장이 나왔던 부천이든, 부산이든 영화행정가들, 영화학자들, 영화평론가들, 영화아키비스트들 등 한국영화를 사랑하는 모든 이들의 힘을 모아 한국영화박물관의 구체적인 건립계획에 대한 논의를 하루바삐 시작해야 할 것이다.

국제영화제 연합 행사의 패널 토론은 90분 동안 진행됐다. 나는 앞자리에 착석해 패널들의 발언을 귀담아 들었고, 행사가 끝나자마자 무대 위에 있던 바르샤바영화제 스테판 라우딘 집행위원장, 소피아영화제 스테판 키타노프 집행위원장, 트란실바니아영화제 미하이 키릴로프 위원장과 반갑게 인사를 했다. 저녁에는 지아 장커 감독이 조직위원장으로 이끌고 있는 핑야오와호장룡국제영화제의 칵테일 리셉션에 참석했다. 10월에 열리는 자신의 영화제를 홍보하기 위해서 상하이에 온 지아 장커 감독은 베니스국제영화제 예술감독이었던 마르코 뮐러와 함께 나를 반갑게 맞이해 주었다.

핑야오와호장룡국제영화제

Pingyao Crouching Tiger Hidden Dragon International Film Festival

핑야오와호장룡국제영화제
지아 장커 감독이 2017년 10월 자신의 고향인 산시성의 성곽도시 핑야오에서 창설한 국제영화제이다. 이 영화제의 주요 목적은 재능있는 중국의 젊은 감독을 발굴하는 것이다.

2019년 부산국제영화제 행사를 마치고 처음 핑야오에 갔다. 핑야오와호장룡국제영화제는 백여 년 전 청나라 시대의 모습을 간직하고 있는 성곽도시에서 열리는 이색적인 영화제이다. 이 안 감독의 미국 아카데미상 외국어작품상(현 국제장편영화상) 수상작인 〈와호장룡Crouching Tiger, Hidden Dragon〉(2000)을 인용한 그 영화제는 중국의 재능 있는 신인 감독들을 발굴하기 위해 동명의 경쟁부문을 앞세우고 있다.

개막식에서 만난 도쿄국제영화제 타케오 히사마츠 집행위원장과 악수를 하고 레드카펫 롤링을 한 후 영화제의 호스트인 지아 장커 감독과 그의 부인인 배우 자오 타오를 만나 담소를 나누는 즐거운 시간을 보냈다.

지아 장커 감독의 요청으로 시상식에서 시상자 역할을 수행했는데, 원래 수상작으로 선정된 영화 한 편을 두고 정치적인 논란이 빚어졌고 지아 장커 감독의 반대에도 불구하고 그 영화가 수상작에서 배제되는 사태가 발생했다. 결국 지아 장커 감독이 영화제 행사가 끝나고 나서 사퇴하는 불상사가 벌어졌다. "어떤 경우에도 중국 사회에 대한 비판은 허용되지 않는다"라고 하는 중국 영화제 발전

핑야오와호장룡영화제의 호스트인 지아 장커 감독 부부

핑야오와호장룡영화제의 메인 베뉴

을 저해하는 검열의 문제가 중국 독립영화의 상징인 지아 장커 감독이 이끄는 영화제에서도 발생했다는 사실은 매우 유감스럽다. 최근 지아 장커 감독이 영화제에 복귀한다는 소식이 들렸는데 참으로 다행스러운 일이 아닐 수 없다.

알마티국제영화제

Almaty Film Festival

알마티국제영화제
영화 스튜디오, 영화사 등 영화 제작 관련 시설들이 집적돼 있는 카자흐스탄의 옛 수도 알마티에서 창설된 신생 영화제로 매년 9월 말에 열린다.

카자흐스탄의 옛 수도이자 영화산업의 중심지인 알마티에 국제영화제가 부활된다는 소식을 알마티국제영화제 운영위원장이며 영화 프로듀서인 율리아 킴Yuliya Kim으로부터 들었다. 2019년 부산국제영화제가 개막하기 직전인 9월 말에 처음으로 알마티영화제의 초청을 받아 참가하게 되었다. 율리아 킴은 한국계 카자흐스탄인으로 칸국제영화제 감독주간의 자문위원인 뱅자맹 이요스 씨의 부인이기도 하다.

개막식에서 알마티국제영화제의 조직위원장과 집행위원장의 환대를 받는 가운데 뜻밖의 인물을 만나게 되는데, 다름 아닌 김기덕 감독이었다. 김기덕 감독은 개막식에 온 현지인들 모두가 사진을 찍고 대화를 하고자 하는 셀러브리티였다. 그는 한국을 떠난 후 키르기스스탄에서의 생활을 거쳐 카자흐스탄에 정착했고, 카자흐스탄 정부로부터 제작 지원을 받아 새로운 작품들을 만들고 있다고 전했다. 최근 그는 내가 아직 보지 못한 신작 두 편을 만들었다는데, 그때 그와 함께한 두 시간 정도의 시간이 지난 25년여 동안 국내보다 해외에서 훨씬 더 많은 시간을 보냈던 그와의 마지막 조우였다.

알마티영화제 개막식장
리퍼블릭팰리스의 전경

알마티영화제 아칸 사타예프 집행위원장에게 도쿄영화제 타케오 히사마츠 집행위원장과 함께 축하인사를 전하면서

타계하기 두 달 전 알마티영화제 개막식에
참석한 김기덕 감독의 마지막 모습

마카오국제영화제

International Film Festival and Awards Macau

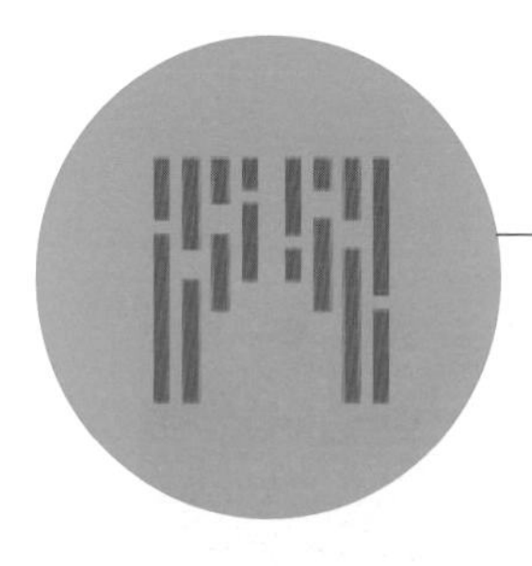

마카오국제영화제
예술이자 오락으로서의 영화에 대한 이해를 높이고 마카오영화를 발전시키기 위해서 7년 전 마카오에서 창설된 국제영화제이다.

마카오국제영화제에서 제공한 만다린오리엔탈호텔은 나로서는 처음이었다. 마카오타워와 현수교가 보이는 환상적인 뷰와 매일 다섯 가지 과일을 채워 주려고 하는 과분한 서비스 정신은 비슷한 일을 하고 있는 나에게도 작은 교훈을 준다. 왜 부유한 중국인들이 그 호텔을 가장 사랑하는지 느낄 수 있다. 제3회 마카오영화제 개막식 전 칵테일에서 만난 많은 사람들이 작은 영화제의 초대에 응해주어서 고맙다는 인사말을 전했는데, 나는 부산국제영화제는 훨씬 더 작고 초라하게 시작했다고 화답했다.

부산영화제를 세 번 방문한 적이 있는 캐나다의 니브 피쉬먼Niv Fichman 제작자와 역시 부산에 한 번 초대된 적이 있는 인도의 리치 메타Richie Mehta 감독이 함께 국제 단편영화 경쟁부문 심사위원으로 초대돼 일하고 있다. 그 부문 상영작을 시네마테크 패션에서 보고 최우수작을 결정하기 위한 토의와 점심을 동시에 해결하기 위해 식당으로 옮겼는데, 그곳은 미슐랭 별 세 개에 빛나는 중국식당 제이드 드래곤이어서 우리를 깜짝 놀라게 했다. 심사위원 세 명 모

단편영화 경쟁부문 심사위원 캐나다의 니브 피쉬먼 제작자와 인도의 리치 메타 감독

두 만장일치로 한 작품을 최우수 작품으로 결정했고, 시상식에서 낭독할 인용구에 대한 문구 논의도 끝냈다.

문제는 그 다음에 발생했다. 우린 모두 해산물을 먹기로 했다. 하지만 나는 치킨스톡이나 치킨 파우더가 첨가되지 않아야 하는 플렉시테리언flexitarian이고 리치는 95% 베지테리언이며 그나마 니브만 무난한 편인데, 쉐프가 과연 그토록 까다로운 우리들의 주문을 잘 처리할 수 있을까 하는 의문이 들었다.

2018년 마카오영화제에서의 핸드 프린팅

음식의 맛은 좋았지만, 결과적으로 시간이 너무 소요돼 그만 후식을 먹지 못하고 자리에서 일어날 수밖에 없었다. 수석 요리사의 관점에서 볼 때 중국식당에 와서 치킨스톡이나 분말 가루를 쓰지 말고 모든 음식을 만들어 달라고 주문하는 뻔뻔한 고객은 아마도 개업 후 내가 처음이자 마지막일 것이다.

중국 정부의 영향을 덜 받고 외국인 전문인력을 예술감독과 프로그래머로 고용해서 순항하고 있다고 생각했던 마카오영화제가 코로나19 시기 2년 차에 접어들면서 로나 티Lorna Tee 프로그래머가 영화제를 떠났다는 좋지 않은 소식이 들렸다. 또 몇 개월 후 영국인 마이크 굿릿지Mike Goodridge 예술감독이 2021년 버츄얼 에디션Virtual edition을 끝내고 영화제를 떠난다는 공표를 듣고 마카오영화제의 불안한 미래가 느껴졌다.

동유럽의영화제들 1
소치국제영화제

Sochi Film Festival

지금과 달리 아시아의 주요 영화제들이었던 모스크바국제영화제, 상트페테르부르크국제영화제, 그리고 소치국제영화제 등은 매년 6월과 7월에 열렸다. 1997년 6월에 세르게이 라브렌티예프Sergey Lavrentiev 소치영화제 예술감독의 초청으로 경쟁부문 심사위원으로 참가했다. 저녁에는 반딧불이를 쉽게 볼 수 있을 정도로 깨끗한 환경의 소치는, 흑해가 지척임에도 신선한 생선을 먹을 수 없다는 점을 제외하면 러시아인들이 가장 사랑하는 휴양지일 수밖에 없다.

심사위원들을 위한 환영 만찬에서 호스트인 조직위원장을 보고 깜짝 놀랐는데, 다름 아닌 내가 시퀀스 분석을 위해서 70번도 넘게 봤던 안드레이 타르코프스키Andrei Tarkovsky 감독의 〈노스탤지아Nostalgia〉(1983)에 나오는 주인공 올레그 얀코프스키Oleg Ivanovich Yankovsky였다. 처음 만나서 악수를 할 때 나는 어디서 많이 본 사람이라고만 생각하고 누구인지 떠올리지 못하고 있었는데, 그가 환영사를 하는 순간, 〈노스탤지아〉에서 촛불을 꺼뜨리지 않기 위해 간절함으로 걷던 모습이 겹쳐지며 기억이 떠올랐다.

경쟁부문 심사위원장은 폴란드의 국제적인 감독크지쉬토프 자누쉬였다. 그때 그를 만난 것이 계기가 되어 자누시 감독은 뉴커런츠 심사위원장, 아시아필름아카데미 원장 등 역할을 부여받고 부산국제영화제에 세 번이나 오게 된다. 내가 유럽의 영화작가들을 공부한 것과 국제영화제 운영, 게스트 초청이 모두 연관돼 있다는 것을 새삼 깨닫는 소중한 경험이었다.

동유럽의영화제들 2
베오그라드국제영화제

베오그라드국제영화제
영화예술에 대한 이해를 증진시키고 전 세계를 대표하는 최고의 영화들을 소개하기 위해 세르비아의 수도 베오그라드에서 1971년에 창설된 비경쟁영화제이다.

1998년 세르비아 영화진흥위원회 밀로룹 부코비치 위원장의 초대로 베오그라드를 방문하게 되었다. 보스니아 내전이 끝난 지 얼마 되지 않은 탓인지 넓은 인터컨티넨탈호텔에 나를 포함해서 투숙객이 몇 명 되지 않을 정도로 사람이 없었다. 베오그라드국제영화제의 예술감독을 역임한 부코비치 위원장의 안내로 2,000석 규모의 영화제 메인 베뉴인 사바센터Sava Centar를 둘러보았다. 베를린국제영화제에 이어 출장이 장기화되면서 그곳에서 이발도 하고, 현지 화폐가 필요해 합법적이지는 않지만 택시 안에서 환전을 하는 경험을 하기도 했다.

베오그라드에 간 것은 에미르 쿠스트리차Emir Kusturica 감독을 만나기 위해서였다. 쿠스트리차 감독과 업무적으로 가까운 부코비치 씨에게 많은 노력을 기울였지만 그가 지나친 사례비appearance fee를 고집해 결국 그의 부산행을 실현시키지 못하게 된다.

동유럽의영화제들 3
류블랴나국제영화제

2003 Ljubljana International Film Festival

류블랴나국제영화제
슬로베니아의 수도 류블랴나에서 개최되는 32년 역사의 비경쟁영화제이다. 슬로베니아의 신작들을 소개하는 부문과 국제적인 영화작가의 회고전이 핵심적인 프로그램이다.

슬로베니아의 수도 류블랴나에서 열리는 류블랴나국제영화제에는 베를린과 칸에서 만나 친분을 쌓은, 그 영화제의 예술감독이자 예술영화 배급업자인 옐카 스테르겔Jelka Stergel의 초청으로 가게 됐고 경쟁부문 심사위원을 맡았다. 구 유고슬라비아 사회주의 연방 공화국 중 가장 부유한 국가인 슬로베니아의 젊은 감독들, 프로듀서들과 오찬을 같이 하는 기회가 있었다. 호텔과 영화관을 오가는 사이에 셀 수 없을 정도로 많은 후식을 판매하는 가게들이 매우 인상적이었다. 류블라냐영화제에 한국 영화인은 물론이고 한국영화 자체가 거의 소개가 안 된 탓인지 현지 매체가 내게 큰 관심을 보였다. 그중 특히 한국영화에 관심을 많이 보인 매체와 인터뷰를 하기도 했다.

류블라나영화제 예술감독 옐카 스테르겔(좌)

17 life cankarjev dom 10.–24. 11. 2006

KULTURA / 17. LIFFe

Delo
ponedeljek, 20. novembra 2006
e-pošta kultura@delo.si

9

RDEČA CESTA – Britanska režiserka Andrea Arnold je bila edina, ki se ji je kot debitantki uspelo prebiti v letošnji tekmovalni program canneskega festivala. Ne brez uspeha – na koncu je za film suburbane depresije, v katerem se tridesetletnica zaplete v patološko razmerje z moškim, ki je kriv smrti njenega moža in otroka, dobila posebno nagrado žirije. Glej več Priporočamo.

Prišli so v mesto

Ni res, da korejski film nastaja brez državne pomoči

Jay Jeon je eden od ustanoviteljev mednarodnega filmskega festivala v korejskem Pusanu, ki letno dobiva 4,3 milijona dolarjev subvencij – Na Liffu je član žirije za vodomca

Liffe se je že krepko prevesil v drugo polovico, zato je čas, da se žirije lotijo svojega dela. Najdaljšo pot do Ljubljane od vseh žirantov je opravil Jay Jeon; prejšnji četrtek je namreč pripotoval k nam iz Seula. Skupaj z Marjanom Strojanom in Anno Mario Percavassi sedi v žiriji, ki bo v sekciji Perspektive izbrala dobitnika vodomca. Jeon je eden od ustanoviteljev mednarodnega filmskega festivala v korejskem Pusanu, največjega v Aziji, trenutno pa je zadolžen za sekcijo *Svetovni film* tega festivala. Znan je tudi kot producent filmov korejskega režiserja Lee Chang-donga.

JAY JEON

VALENTINA PLAHUTA SIMČIČ

Nataša Bučar – vodja projekta Liffe

Vsak dan trepetamo, ali bo kopija prispela in gost stopil iz letala

Največja težava je velika mednarodna konkurenca med festivali, saj se za filmske kopije najuspešnejših filmov borijo mnogi med njimi – Med publiko malo zanimanja za pogovore z gosti

Priprava filmskega festivala je kompleksna stvar. Za to, da stvari na Liffu gladko tečejo, skrbi močna organizacijska ekipa. Vodja projekta Liffe Nataša Bučar nam je predstavila glavne probleme in presenečenja, ki se v času priprav in v času trajanja festivala dogajajo njej in celotni ekipi.

NATAŠA BUČAR

JELA KREČIČ

OCENJUJEMO

Narod hitre prehrane

Fast Food Nation, ZDA, 2006. R.: Richard Linklater. Predpremiere.

ŽENJA LEILER

Candy

Candy, Avstralija, 2006. R.: Neil Armfield. Perspektive.

MOJCA KUMERDEJ

NOVOSTI

Opice pozimi

Reka Kongo, onstran teme

Kaj je moški brez brkov?

Odete

DENIS VALIČ

PRIPOROČAMO

Rdeča cesta

Red Road, Velika Britanija, 2006. R.: Andrea Arnold. Obzorja.

ŽENJA LEILER

Ko ure minevajo

Cómo pasan las horas, Argentina, 2005. R.: Inés de Oliveira Cézar. Perspektive.

SIMON POPEK

Vodi Zajtrk na Plutonu

K. R.

REKLI SO

DUNJA ZUPANČIČ, vizualna umetnica

KAJ JE KJE IN KDAJ

medijski pokrovitelj DELO

stran ureja ŽENJA LEILER

슬로베니아 일간지 《델로》

동유럽의영화제들 4
헝가리필름주간

Budapest Hungarian Film Week

소치국제영화제의 라브란티에프 위원장의 소개로 국제영화제 프로그래머들을 초청해서 헝가리의 신작들을 보여주는 행사가 있다는 정보를 알게 됐고, 헝가리 영화진흥위원회Magyar Filmunió가 주관하는 헝가리필름주간에 참가하기 위해 부다페스트로 가게 됐다. 하루에 네 번의 스크리닝이 있고, 헝가리의 감독과 제작자들, 그리고 국제영화제 관계자들끼리도 친교를 맺을 수 있으며 점심과 저녁이 제공되는 아주 흥미로운 이벤트였다.

폴란드 브로츠와프국제영화제New Horizons Film Festival의 요한나 와핀스카Joanna Łapińska 예술감독을 처음 만난 것도 헝가리 영화주간에서였다. 그녀가 내게 '안녕'이라는 짧은 한글 단어로 말을 건넨 것이 계기가 되어 이야기를 시작하게 되었다. 상영회가 모두 끝나고 마지막 날, 다뉴브 강가에 있는 한 식당에서 고별 만찬이 열렸다. 헝가리 영화진흥위원회 국제영화제 담당자에게 나는 〈메피스토Mephisto〉(1981)를 만든 이스트반 자보Istvan Szabo 감독의 근황을 묻고 그를 꼭 부산국제영화제에 초대하고 싶다고 강력하게 요청했다. 그로부터 몇 년 후인 2006년 마침내 그는 부산에 오게 된다.

헝가리 영화진흥위원회는 그 후 해체됐고, 몇 년 전 새로 조직된 헝가리영화기금Hungarian National Film Fund이 그 기능과 역할을 대신하고 있다.

동유럽의영화제들 5
사라예보국제영화제

Sarajevo International Film Festival

사라예보국제영화제
1995년 보스니아내전 중 사라예보가 포위됐을 때 창설된 동남부 유럽에서 가장 큰 경쟁영화제로 베를린영화제와 긴밀한 협업관계를 유지하고 있다.

내가 구 유고슬라비아 연방공화국에서 독립한 6개 국가 중 세르비아에 이어서 두 번째로 찾게 된 나라는 보스니아 헤르체고비나 공화국이다.

사라예보국제영화제는 1992년에 발발해서 3년 8개월 동안 이어진 보스니아 내전 말기에 창설되었다. 베를린국제영화제와 우호적인 관계를 구축하기 위해 노력해 온 사라예보영화제는 부산국제영화제가 창설된 후 10년이 지나 아시아를 대표하는 영화제로 부각되기 시작할 때, 부산에도 다녀간 적이 있는 미르사드 푸리바트라 집행위원장의 배려로 나를 단편영화 경쟁부문 심사위원으로 초대했다. 그렇게 해서 보스니아 내전의 참화를 담은 뉴스릴보다는 1984년 동계올림픽 개최 도시의 아름다운 이미지들로만 기억에 남아 있는 사라예보에 가게 된다.

종전 후 많은 시간이 지났지만 사라예보의 구도심에는 여기저기 전쟁의 상흔이 방치되어 있었다. 특히 내전 기간에 외신 기자들이 체류했던 노란색의 홀리데이인호텔의 외벽에는 여전히 탄흔이 그대로 남아 있었다.

영화제가 열리는 8월 중순, 매일 영상 33도를 상회하는 사라예보의 폭염은 수은 온도계를 통해 눈으로 확인할 수 있다. 사라예보에서의 일주일은 무더위와의 싸움이었다고 해도 지나친 말은 아닐 것이다. 폭서를 피하려고 호텔에 자주 들르는 방법을 썼지만 방에 있는 거대한 송풍기가 굉음만 요란했지 열을 식히는 기능과는 거리가 멀어서 아무 소용이 없었다. 더구나 러시아산이라고 예단했던 그 한심한 송풍기에 '현대'라는 영문이 쓰여 있는 걸 보고 아연실색할 수밖에 없었다. 여러 영화제 관계자들과 직원들에게 물어도 냉방설비가 잘 돼 있는 곳은 찾을 수 없었고 결국 바람이 부는 저녁까지는 일에만 전념하기로 했다.

사라예보영화제에서는 외국인 게스트들과 심사위원들을 위해 터널뮤지엄Tunnel Museum Sarajevo 투어를 제공했는데, 사라예보 포위 때 사라예보 시민들에게 생명과 같은 물, 식량, 의약품을 운송했던 터널을 직접 확인할 수 있었다. 천정이 낮아 허리를 펴기 어렵고 한 명이 겨우 지나갈 수 있는 좁은 터널에 레일을 깔고 물품들을 날랐다고 하는데, 영화제가 열릴 때 영화 프린트도 이곳을 거쳐 상영장으로 옮겨졌다고 한다.

왕 가웨이 감독의 연설문 초고를 자주 썼다고 하는 포르티시모 공동대표 마이클 워너Michael Werner와 함께 심사위원 업무를 하면서 친해졌고, 여러 동유럽 영화인들과 좀 더 가까워지게 된 것이 큰 소득이었다.

전쟁으로 상처받은 보스니아인들의 영혼을 영화와 영화제로 치유하기 위해 창설된 사라예보영화제가 앞으로도 계속 발전하리라고 믿는다.

동유럽의영화제들 6
소피아국제영화제

소피아국제영화제
1997년 불가리아의 수도 소피아에서 창설된 비경쟁영화제로 불가리아영화는 물론이고 발칸지역 국가들의 신작들을 접할 수 있다.

오랜 기간 인연을 이어 온 소피아국제영화제의 스테판 키타노프 집행위원장의 초청으로 2015년 경쟁부문 심사위원으로 참가했는데, 터키의 국제적인 감독 누리 빌게 체일란Nuri Bilge Ceylan 감독과 오랫동안 함께 협업을 해 온 제이넵 아타칸Zeynep Atakan 프로듀서와 동료가 되었다. 소피아에 처음 왔기 때문에 불가리아의 주요한 영화인들과 미팅도 하고 불가리아의 역사와 문화도 살펴보는 기회를 갖고자 계획을 거창하게 세웠는데, 도착한 지 이틀 만에 장인어른의 부고를 들었다. 키타노프 위원장과 다른 심사위원들에게 사정을 설명하고, 개막식장을 가득 채운 관객들에게 자리에서 일어나 인사한 지 48시간이 채 지나지 않아 소피아를 떠날 수밖에 없는 상황이 됐다. 해외 출장이 잦다 보니 영화제로 가는 여정에서 우리의 삶에서 겪는 거의 모든 일들을 다 체험하는 것 같다.

동유럽의 영화제들 7
황금살구예레반국제영화제

The Golden Apricot Yerevan International Film Festival

황금살구예레반국제영화제
2004년 아르메니아의 수도 예레반에서 창설된 국제영화제이다. 경쟁 부문과 프로젝트 마켓이 메인 프로그램이고 메인 베뉴는 모스크바극장이다.

2018년 7월 8일, 아르메니아 황금살구예레반국제영화제를 개막일에 찾았다. 그 날은 마침 바르다바르Vardavar라고 불리는 아르메니아 공휴일 중 가장 즐거운 축제가 있는 날이었다. 바르다바르는 사랑의 여신, 물 그리고 풍요라는 몇 가지 의미와 연관된다. 아르메니아의 가장 더운 여름철에 사람들은 물장난을 하면서 휴일을 즐긴다.

환전을 한 후 숙소인 그랜드호텔Grand Hotel Yerevan로 돌아오는 길에 나는 조심조심하며 물양동이를 뒤집어 쓰는 것을 피하려고 노력했다. 그러나 물총과 물

황금살구예레반영화제의 메인 베뉴 모스크바극장

세르게이파라자노브박물관으로 영화제 게스트를 초대한
하류툰 하차트리안 조직위원장 (모자 쓴 이)

모스크바극장과 지근거리에 영화제 공식
호텔인 그랜드호텔이 있다.

스프레이, 물병, 물 양동이로 무장한 수백 명의 청소년들을 만나 결국은 물 세례 축복을 받았다.

황금살구예레반영화제는 게스트가 도착하면 게스트가 묵고 있는 호텔 방으로 영화제의 심볼인 노란색 살구들로 가득찬 나무바구니를 보내는데, 그 어떤 영화제보다도 정겨움이 느껴진다. 부산국제영화제 김동호 이사장과 로테르담국제영화제의 산드라 덴 하머Sandra Den Hamer 전 집행위원장, 그리고 황금살구예레반영화제 하차트리안 조직위원장 이렇게 세 사람이 작은 신생영화제인 황금살구예레반영화제를 돕기로 하고 집행위원장이 상호 방문하는 규약에 합의한 후에 지금까지도 계속 우의와 협력관계를 지속하고 있다.

동유럽의 영화제들 8
풀라국제영화제

풀라국제영화제
1954년에 창설된 크로아티아에서 가장 오래된 영화제로 매년 7월 아드리아해를 사이에 두고 이탈리아를 마주보고 있는 해변 휴양지에서 열린다. 구 유고슬라비아연방이었던 국가들의 신작들을 볼 수 있고, 고대 로마 유적인 콜로세움에 만들어진 아름다운 야외 상영장 아레나에서의 각별한 체험도 즐길 수 있다.

오랫동안 세르비아필름센터의 위원장을 역임했던 밀로룹 부코비치 씨가 내게 풀라국제영화제 참석을 여러 번 권유했지만 기회가 닿지 않았다. 마침내 그의 주선으로 2019년 풀라영화제에 처음으로 가게 되면서 크로아티아 땅을 밟았다.

로마 시대의 원형경기장에 꾸며진 고색창연한 아레나The Arena는 가장 오래되고 가장 아름다운 야외 상영장이다. 로카르노영화제의 피아체그란데 야외 상영장도, 화려한 LED 조명이 돋보이는 부산국제영화제의 야외 상영장도 풀라영화제의 아레나에는 결코 미칠 수 없다.

풀라영화제의 즐라트코 비다코비치Zlatko Vidačković 집행위원장은 영화제가 끝난 직후 일종의 평가 회의에 나와 크리스티앙 죈 칸국제영화제 영화부문 위원장 등을 초대했는데 우리 모두에게 전문가로서 크로아티아 영화산업에

풀라영화제의 고대 로마의 콜로세움을 활용한 세계에서 가장 아름다운 야외 상영장 아레나

아레나 내부

대한 조언을 부탁했다. 나는 영화의 질을 높이기 위해서는 영화 제작 편수가 늘어야 된다고 말했다. 크로아티아는 절대적으로 제작편수가 부족해 장편영화가 좀 더 만들어져야 하고, 편수를 늘리는 데 도움이 될 수 있는 프로젝트 마켓 등을 활성화시키는 방향으로 영화제가 그 기능과 역할을 해야 한다고 조언했다.

1997년부터 2018년까지 무려 이십여 년이 넘는 세월 동안 한국인들에게 낯선 동유럽 국가들을 열심히 찾아간 이유는 부산영화제를 메이저 영화제로 도약시키기 위한 개인적인 꿈이 있었기 때문이다. 국내 영화제 관계자들이 발음하기조차 힘들어하고 경시하는 동유럽 국가들은 생각보다는 훨씬 더 국가 수가 많고 최근에는 어느 정도 경제발전까지 이루면서 좋은 작품들을 많이 생산해내고 있다.

그동안 부산국제영화제는 동유럽 영화만을 중심으로 하는 독일 북부지역의 코트부스영화제Cottbus Festival of East European Cinema를 제외하면 베를린국제영화제 못지않게 가장 다양하고 풍부한 동유럽영화 프로그래밍을 자랑했다. 하지만 유감스럽게도 담당자들은 동유럽영화 편수를 최소화하는 방향을 선택해 버렸다. 중국의 영화제들이 '일대일로' 정책에 순응하며 동유럽 국가들에 손을 내밀고 있는 현실에서 미래에 어떤 영화제가 중심적인 역할을 할 것인지는 명약관화하다.

브줄국제아시아영화제

Vesoul International Film Festival of Asian Cinema

브줄국제아시아영화제
프랑스 서부지역의 소군인 브줄에서 매년 2월 초에 열리는 규모는 작지만 보석처럼 빛나는 아시아 영화제이다. 경쟁부문과 아시아문화 관련 부대행사가 메인 이벤트이다.

프랑스 동부에 위치한 브줄은 마치 스위스의 시골 마을에 와 있는 것 같은 인상을 주는 타운이다. 인구는 만오천여 명 정도이고, 주민들의 대다수가 르노 자동차 공장에서 일한다. 그러나 영화제가 열리는 일주일 동안만은 아시아영화와 아시아문화를 주민들이 모두 함께하면서 문화적인 풍요로움을 만끽하는 시간을 갖는다.

브줄국제아시아영화제는 부부인 마르틴느 테루안느Martine Thérouanne 집행위원장과 장마르크 테루안느Jean-Marc Thérouanne 공동위원장이 처음부터 끝까지 거의 모든 업무를 도맡아 할 정도로 작은 규모이다. 한 가지 예로, 내가 처음 브줄에 기차로 도착할 때 장 마르크 위원장이 기차역으로 직접 마중 나오고, 내가 떠날 때는 마르틴느 위원장이 기차역까지 차로 데려다 주었다. 영화제가 삶의 전부인 사람들만이 할 수 있는 일이다. 2018년 부산국제영화제는 나의 추천을 받아들여 오랫동안 한국영화와 한국 영화인들을 소개해 온 그 부

2020년 브줄영화제 개막식에서 명예황금자전거상 수상

부에게 한국영화공로상을 수여했다.

나는 2020년 3월 처음으로 브줄영화제 경쟁부문 심사위원장으로 방문했는데, 영광스럽게도 개막식에서 명예황금자전거상Honorary Golden Tricycle Award을 수상했다. 영화제 기간 동안 다른 세 명의 심사위원들과 함께 후보작 전편을 영화관에서 관객들과 함께 보며 즐거운 시간을 보냈다. 리셉션을 비롯해 심사위원들과 영화제 주요 게스트들이 함께하는 오찬이나 만찬에 빠짐없이 참석해, 일주일 내내 영화제의 가족적인 분위기에 동참했다. 약 3억여 원의 초저예산으로 그렇게 아시아 영화제를 만들어 오고 있다는 사실에 새삼 놀랐으며, 많은 것을 배우기도 했다.

브줄영화제에서 오랫동안 예술감독으로 일했으며 부산영화제도 자주 찾

브줄영화제 마르틴느 테루안느 집행위원장과 카자흐스탄의 율리아 킴 프로듀서

았던 바스티앙 메르손느Bastian Meiresonne가 영화제와 계약조건이 너무 맞지 않아 도저히 계약을 갱신할 수 없어 영화제를 떠나게 되었다는 이야기를 들었을 때 매우 안타까웠다.

영화제 기간 중에 《아시안 무비 퍼스Asian Movie Purse》의 파노스 코츠자타나시스 편집인이 내게 적극적으로 인터뷰 요청을 해 만났다. 나는 내 거취 문제를 피력하는 등 그동안 누구에게도 말한 적이 없는 다소 놀라운 내용들을 그에게 진솔하게 말했다.

인터뷰 2020. 2. 17 Asian Movie Purse

Behind the unprecedented success of "Parasite" is a perilous state-of-affairs of the Korean film industry

Panos Kotzathanasis Interview with Jay Jeon.

On the occasion of his presence as part of the International Jury at Vesoul International Film Festival of Asian Cinema, we speak with him about "Parasite", Korean cinema, Busan Film Festival, Lee Chang-dong and many other topics

You have worked with and Lee Chang-dong in the past (Oasis, Peppermint Candy). How was the experience?

As a co-producer of "Peppermint Candy" and "Oasis", my role was to lead their marketing strategies by bringing overseas investment from those that are interested in art house movies and to help bring the spotlight onto the works at major international film festivals. In the case of "Peppermint Candy" UGC International of France and Japan's NHK showed strong interest but in the end I succeeded in bringing NHK to invest 130,000 US dollars in the film. "Peppermint Candy" was invited to Directors' Fortnight at Cannes and won awards at many film festivals including at Karlovy Vary. "Oasis" won Best Director and the Marcello Mastroianni Award and also had a special screening at Cannes organized by the International Critics Association.

In Particular, regarding the experience as a producer, is he as harsh with his actors as many people seem to think?

Director Lee Chang Dong's strengths lie in his ability for great storytelling and drawing the best from his actors. In this regard he is comparable to Howard Hawks who showed similar strengths in the Hollywood of the 1940's. The facts that Moon So-ri received the Marcello Matrioianni Award for Emerging Actress at Venice and that Jeon Do-yeon received Best Actress at Cannes for "Secret Sunshine" proves that Lee is someone who is able to draw talent that had so until that time been only dormant within his actors. Rumors about Lee being too strict with his actors may stem from the fact that Moon So-ri had a really tough time filming "Peppermint Candy" but it was inevitable when you consider the fact that she was a completely newcomer with no real previous acting experience, so repetitive rehearsals and retakes of scenes had to take place.

The Korean movie industry is mostly known, particularly in the West, for films that are violent and male-driven, crime thrillers let's say. However, in the last few years, through an initiative of Busan film festival, a lot of excellent films by female directors have started to screen both in Busan and abroad, with House of Hummingbird and Moving On being particularly successful, internationally. Why did you choose to go that way and how important do you feel is having female voices in the movie industry?

In Korea, around 250 features are made per year including 150 in the mainstream sector and over 100 features and documentaries in the indie scene. Male-centered views far from gender equality are prevalent in the mainstream scene so entry by female directors as well as their activity in it are still very much limited. There are very few opportunities for female directors in the mainstream scene. So, female directors look for opportunities in the indie scene and lately good results have come from that sector. Great female directorial talents have been supported by several organizations from the project development stage at the Busan International Film Festival (BIFF),

Jeonju International Film Festival(JIFF) and the Korean Film Council (KOFIC). Once they are completed, they are screened either at BIFF or JIFF which serve as their gateway to the rest of the world. This is a system that has long been in place. Cases in point are Bora Kim's "House of the Hummingbird" and Danbi Yoon's "Moving On".

Would you say in general, that the industry supports women filmmakers?

Having diverse female directorial talents is imperative for the globalization of Korean cinema and I can proudly say that BIFF is leading in that effort by having at least 30% of all invited films from female directors.

Money-wise, it seems that Korean cinema is in a very good place. Is that the actual case?

Behind the unprecedented success of "Parasite" is a perilous state-of-affairs of the Korean film industry. 2019 was especially disastrous for the industry as most Korean films went into the red. A major cause is because of a systematic fault in the industry which pours investment into casting stars. We can say that "Parasite" shows how important it is to have a talented director, excellent script and creative producer as well as a fantastic acting ensemble.

Netflix is also investing in Korean productions. What is your opinion about the whole streaming-service concept? Does it do more good or harm?

Netflix has already secured over 7 million subscribers and streaming platforms such as Disney Plus, Apple TV Plus and Amazon will enter the Korean market and they are all expected to make active investments in producing Korean films, but as most income generated by the ancillary market will be taken by American companies, some negative consequences are expected to occur.

In general, what is your opinion of the future of Korean cinema? What do you think needs to stay the same and what to change?

In order to keep this level of success in Korean cinema in the future, there needs to be a structural change, of putting creativity above all else within the industry instead of focusing on the dominance of capital.

To what do you think Parasite owes its huge international success?

The incredible success by "Parasite" comes from the sheer talent of Bong Joon-ho who is able to make films that are both popular masterpieces as well as art house classics. Only few people in Hollywood have been able to do this including William Wyler, Francis Coppola, Martin Scorsese.

Bong Joon-ho, Park Chan-wook and Kim Ji-woon went to the US at some point to shoot films. Do you think they benefited from that and how important do you think it is that they returned to Korea to shoot films?

Bong's experience in international co-production and Park Chan-wook and Kim Ji-woon's experience of making films in Hollywood is a great help in globalizing Korean cinema. I heard Bong is preparing two films, both of which will have English dialogue and will have international stars in the cast. Park Chan-wook's next film is in the script-writing stage but it will be a Korean film starring Tang Wei and Park Hae-il.

How would you describe the current purpose of Busan Film Festival?

The current agenda on hand for BIFF is to expand the audience interest which is currently focused on films from East Asia to an interest in cinemas from all across the entire continent of Asia and to find and support talented female directors, as I mentioned earlier. We need to find ways to collaborate with streaming platforms and to make BIFF more participation-friendly by developing a festival app.

Would you say that the issues with the local government and KOFIC are in the past? How hard was losing Kim Ji-seok and do you feel the festival has managed to overcome his absence?

At the moment, BIFF is able to collaborate well with the city of Busan and the Korean Film Council but due to the unstable nature of Korean politics, the opposition conservative party could come up victorious two years from now. If that happens, BIFF will once again fall into a terrible difficulty. After the untimely death of Kim Ji-seok, vice festival director of BIFF, three programmers shared his role and tried to fill the gap left by him but they weren't able to work effectively as it is not possible to do Kim's work, an accumulation of work over more than 20 years with Asian filmmakers and gain his encyclopedic knowledge of Asian cinema in a short period of time. It will take a long time to fill the gap left by him.

Is there any episode in the history of Busan that you remember very fondly?

Unlike BIFF's status as the only major film festival in Asia, twenty years ago, when BIFF was relatively unknown, I worked for several years to invite Theo Angelopoulos and Jeanne Moreau to BIFF. It was a great honor and those memories remain still in my heart as one of the most beautiful things that has ever happened in my life.

Where do you see yourself after your contract expires? Continuing in Busan or maybe in some other part of the industry?

My term as festival director will come to an end at the end of February, next year (2021). My term can come to an end or it could be renewed. If I end up leaving BIFF, my film career will probably continue as a festival organizer at another place.

인터뷰 2020. 2. 17 Asian Movie Purse

〈기생충〉의 전례 없는 성공 이면과 한국영화산업

파노스 코츠자타나시스Panos Kotzathanasis의 전양준 위원장과의 인터뷰.
전양준 부산국제영화제 집행위원장이 브줄국제아시아영화제의 심사위원장으로 참석한 것을 계기로, 우리는 〈기생충〉, 한국영화, 부산국제영화제, 이창동 감독, 그 밖에 더 많은 주제로 이야기를 나누었다.

이전에 〈오아시스〉, 〈박하사탕〉에서 이창동 감독과 같이 일하셨는데요. 경험해 보니 어떠셨나요?

〈박하사탕〉과 〈오아시스〉의 공동 제작자로서 제 역할은 작품의 해외 마케팅 전략을 이끄는 것이었습니다. 아트하우스 영화에 관심이 있는 해외 투자를 끌어오고, 해외 주요 국제영화제가 감독님의 작품을 주목할 수 있도록 돕는 것이었죠. 〈박하사탕〉의 경우 프랑스의 유지씨 인터내셔널UGC International과 일본의 NHK가 높은 관심을 보였습니다. 종국에는 NHK로부터 13만 달러를 투자 받는데 성공했습니다. 〈박하사탕〉은 칸의 감독주간Directors' Fortnight에 초청됐고, 카를로비바리국제영화제를 포함한 다수의

제26회 브줄영화제 국제 경쟁 심사위원

영화제에서 수상을 하기도 했습니다.
〈오아시스〉는 최우수감독상Best Director과 마르첼로마스트로야니상을 수상했고, 칸에서는 국제비평가연맹International Critics Association이 주관하는 특별 상영도 진행했습니다.

특히, 프로듀서로서의 경험이 있으시니까 여쭤봅니다. 이창동 감독은 많은 이들이 생각하는 것처럼 배우들에게 가혹한 편인가요?

이창동 감독님의 장점은 굉장한 스토리텔링과 배우들에게서 최선을 이끌어 내는 능력에 있습니다. 이런 면에서 보자면 1940년대 할리우드에서 비슷한 장점을 보인 하워드 혹스Howard Hawks와 비교될 만하죠. 문소리 배우가 베니스에서 마르첼로마스트로야니상-신인여우상을 수상하고, 전도연 배우가 칸에서 〈밀양〉으로 여우주연상을 받았다는 사실은 이창동 감독이 배우들에게서 잠재된 능력을 이끌어낼 수 있는 감독이라는 걸 입증하고 있습니다.
이창동 감독이 배우들에게 너무나 엄격하다는 소문은 아마도 문소리 배우가 〈박하사탕〉 촬영 중에 정말로 힘든 시간을 보냈다는 사실에서 기인한 것일지도 모르겠습니다. 하지만 문소리 배우가 당시에 이전의 연기 경험이 전혀 없는 완전한 신인이었다는 사실을 고려해야 하고 그로 인해 반복된 리허설과 재촬영은 불가피한 일이었다고 할 수 있겠습니다.

서구사회에서 한국영화산업은 폭력적이고 남성 중심적인 범죄 스릴러 영화로 특히 알려져 있습니다. 하지만 지난 몇 년간 부산국제영화제의 주도로 여성 감독들의 훌륭한 영화들이 부산과 해외에서 상영되기 시작했습니다. 특히 〈벌새〉나 〈남매의 여름밤〉 같은 작품들이 해외에서 성공을 거두었는데요. 왜 그런 길을 선택했는지, 그리고 영화산업에서 여성의 목소리를 담는 것이 얼마나 중요하다고 생각하는지 여쭙고 싶습니다.

한국에서는 해마다 약 250편가량의 장편영화들이 만들어지는데 여기에는 주류 상업영화가 150여 편, 그리고 100여 편이 넘는 독립영화와 다큐멘터리들이 포함됩니다. 주류 영화계에서는 성평등과는 거리가 먼 남성 중심적인 관점이 팽배해 있고, 여성 감독들의 진입이나 활동은 여전히 매우 제한적입니다. 주류 영화계에서 여성 감독들에게는 거의 기회가 주어지지 않습니다. 그래서 여성 감독들은 독립영화계에서 기회를 찾게 되고, 최근에 그 분야에서 좋은 결과가 나온 것입니다. 역량 있는 여성 감독들이 프로젝트 개발 과정에서부터 여러 기관들로부터 지원을 받고 있는데, 부산국제영화제, 전주국제영화제, 그리고 영화진흥위원회를 통해서라고 할 수 있습니다. 작품이 완성되면 부산영화제나 전주영화제에서 상영되고, 이는 해외로 나아가는 관문이 되는 것입니다. 여기에 부합되는 사례가 김보라 감독의 〈벌새〉와 윤단비 감독의 〈남매의 여름밤〉입니다.

일반적으로 영화산업이 여성 영화인을 지원한다고 말할 수 있을까요?

다양하고 재능 있는 여성 감독들을 길러내는 것은 한국영화의 세계화에 꼭 필요합니다. 그리고 저는 부산영화제가 그런 노력의 일환으로 적어도 모든 초청작의 30%를 여성 감독의 영화로 채우는 데 앞장서고 있다는 점이 자랑스럽습니다.

금전적인 측면에서 보면 한국영화는 아주 좋은 위치에 있는 것 같습니다. 정말로 그런가요?

〈기생충〉의 전례 없는 성공의 이면에는 한국 영화산업의 위험한 상황이 도사리고 있습니다. 2019년은 한국 영화산업에서 특히 처참했는데, 대부분의 한국영화들이 적자를 냈기 때문입니다. 주요한 원인은 스타 배우를 캐스팅하는데 투자금을 쏟아붓는 한국 영화산업의 시스템적인 결함에 있습니다. 〈기생충〉은 재능 있는 감독과 훌륭한 시나리오, 그리고 창의적인 제작자와 환상적인 연기의 조합이 얼마나 중요한가를 보여줍니다.

넷플릭스 역시 한국 제작사들에 투자하고 있습니다. 스트리밍 서비스 콘셉트에 대해서는 어떤 의견을 갖고 계신지요? 더 나은 건가요 아니면 해로운 건가요?

넷플릭스는 한국에서 이미 7백만이 넘는 구독자를 확보하고 있고, 디즈니 플러스와 애플 TV 플러스, 그리고 아마존 같은 스트리밍 플랫폼도 곧 한국 시장에 들어올 예정입니다. 이 스트리밍 플랫폼들 모두가 한국영화 제작에 활발한 투자를 할 것으로 기대되고 있습니다. 하지만 부가 판권이 창출하는 대부분의 수입은 모두 미국 회사들이 차지하게 될 것이라, 부정적인 결과가 발생할 것으로 예상합니다.

전반적으로 한국영화의 미래에 대해서 어떤 생각을 갖고 계신가요? 그대로 유지해야 할 필요가 있는 것은 무엇이고, 변화해야 하는 것은 무엇이라고 생각하시나요?

한국영화가 미래에도 지금과 같은 정도의 성공을 유지하기 위해서는 구조적인 변화가 필요합니다. 자본의 지배에 집중하는 대신, 산업 안에서 창의성을 무엇보다도 최상위에 두어야 합니다.

〈기생충〉이 세계적으로 엄청난 성공을 거둔 것은 무엇 덕분이라고 생각하시나요?

〈기생충〉의 엄청난 성공은 상업적인 흥행작과 아트하우스 작품을 모두 만들 수 있는 봉준호 감독의 온전한 재능 덕분입니다. 할리우드에서도 윌리엄 와일러William Wyler, 프란시스 코폴라Francis Coppola, 마틴 스코세이지Martin Scorsese 감독 같은 소수의 사람들만이 할 수 있었던 일입니다.

봉준호, 박찬욱, 김지운 감독들도 어느 순간에 영화를 찍기 위해 미국으로 갔습니다. 이것이 감독들에게 이득이 되었다고 생각하시나요? 그리고 이 감독들이 영화를 만들기 위해 한국으로 돌아간 것은 얼마나 중요하다고 생각하십니까?

봉준호 감독의 국제공동제작과 박찬욱 감독과 김지운 감독이 할리우드에서 영화 작업을 한 것은 한국영화의 세계화에 큰 도움이 되었습니다.
봉준호 감독이 두 개의 영화를 준비하고 있다고 들었는데, 두 작품 모두 영어 대사로 구성될 예정이고, 국제적인 배우가 캐스팅될 것이라고 들었습니다. 박찬욱 감독의 다음 작품은 시나리오 작업 단계인데 한국 작품이 될 것이고, 탕웨이Tang Wei와 박해일 배우가 출연한다고 합니다.

현재 부산영화제의 목적에 대해서 설명해 주세요.

현재 부산영화제가 당면한 안건은 관객들의 관심을 확장시키는 것입니다. 현재 동아시아 지역의 영화에 초점이 맞춰져 있는데 아시아 전 대륙의 영화로 넓히고, 또한 앞서 언급했듯이 재능 있는 여성 감독들을 발굴하고 지원하는 일입니다.
스트리밍 플랫폼과의 협력 방안을 모색하고, 부산국제영화제를 더욱 친근하게 접근할 수 있도록 페스티벌 앱을 구축하는 일이 필요합니다.

부산시와 영화진흥위원회, 부산영화제와의 갈등은 이제 과거의 것이라고 말해도 될까요? 그리고 김지석 부집행위원장을 잃고 얼마나 힘드셨습니까? 영화제가 부위원장의 빈자리를 극복했다고 느끼시는지요?

현재 부산영화제는 부산광역시, 영화진흥위원회와 좋은 협력관계에 있습니다. 하지만 한국 정치의 불안정성으로 인해 지금부터 2년 후에는 야당인 보수 정당이 승리할 수도 있죠. 만약 그런 상황이 발생한다면, 부산영화제는 또 다시 어려움에 처할 겁니다. 김지석 부집행위원장이 갑작스럽게 떠나고, 세 명의 프로그래머들이 그의 역할을 나눠 맡아 그의 자리를 메우기 위해 노력했지만 실질적으로는 잘 되지가 않았습니다. 故 김지석 부위원장이 아시아영화인들과 쌓은 20년 이상 축적된 작업과 아시아 영화에 관한 정통한 지식을 짧은 시간 안에 습득하는 것은 불가능한 일입니다. 그의 빈자리를 채우는 데는 아주 오랜 시간이 걸릴 것입니다.

그동안 부산영화제에 계시면서 좋은 기억으로 남는 에피소드가 있을까요?

아시아의 유일한 메이저 영화제라는 현재의 부산영화제의 위상과는 달리, 20여 년 전, 부산영화제가 비교적 알려져 있지 않았을 때, 저는 몇 년 동안이나 테오 앙겔로풀로스 감독과 잔느 모로 배우를 초청하려고 노력했습니다. 그리고 결국 두 분을 모실 수 있었던 것은 크나큰 영광이었고, 여전히 제 인생에서 일어난 아름다운 일 중 하나로 제 마음속에 깊이 간직하고 있습니다.

집행위원장 계약이 끝나면 어디에 계실 것 같으세요? 부산에 계속 계실까요? 아니면 영화산업의 다른 분야일까요?

집행위원장으로서의 저의 임기는 2021년 2월 말에 종료됩니다. 임기는 그대로 끝날 수도 있고 연장될 수도 있겠죠. 제가 만약 결국에 부산영화제를 떠나게 된다면 저의 영화 인생은 아마도 또 다른 곳에서 영화제 운영자로서 계속될 것입니다.

국제영화제를 위협하는 경제적, 보건적, 정치적 위기

부산국제영화제 집행위원장으로서의 첫 해인 2018년 한국은행 부산본부의 요청으로 부산영화제에 대한 특강을 한 적이 있다. 청중 가운데 한 사람으로부터 가장 성공적이었던 행사가 언제인지를 질문 받았다. 잠시 생각한 후 영화제 초기 25억원 이라는 많지 않은 예산으로 영화제 행사와 프로젝트 마켓 운영이라는, 현 체계와 크게 다르지 않은 영화제의 행사 골격과 국제적 성공 가능성을 보여준 1998년 제3회 부산영화제가 가장 성공적이었다고 답했다.

금융인들을 대상으로 한 강의였기 때문에 나는 평균 5년마다 한 번씩 영화제를 운영하는 데 경제적 또는 재정적 위기가 도래한다는 언급을 한 적이 있다. 부산영화제의 지난 25년을 통시적으로 고찰해볼 때 평균 5년마다 한 번씩 경제적 위기, 보건적 위기, 그리고 정치적 위기가 주기적으로 나타났다.

1998년과 1999년에 걸쳐 우리나라가 국제통화기금IMF의 관리체제에 들어가게 되면서 환율 폭등이 발생했다. 영화제의 관객 수가 격감하고 기업 협찬이 거의 불가능해지게 된 것은 피할 수 없는 일이었다. 그럼에도 국제적 성공 가능성을 보였다는 것은 국제영화제에 대한 국내 관객들의 열망이 매우 컸다는 방증이다.

2001년 9월 11일, 알카에다가 뉴욕 월드트레이드센터를 공격한 9·11사건은 북미에서 열리는 모든 영화제에 엄청난 영향을 미쳤고, 이때 토론토국제영화제에 참석 중이었던 모든 사람들에게 정신적 트라우마를 안길 정도의 충격을 줬다. 토론토영화제가 즉시 중단된 것은 물론이고 사건 이후 3, 4일 만에 토론토를 빠져나간 사람들은 비교적 운이 좋은 경우였고 일주일 동안이나 토론토에 갇혔던 사람들이 많았다고 한다. 특히 신용카드를 소지하지 않고 있는 동유럽의 참가자들은 고초를 겪었다고 한다. 카를로비바리국제영화제의 에바 자올라로바 예술감독도 그때 매우 큰 어려움을 겪었는데, 이후로 유럽을 벗어나는 장거리 여행은 하지 않았다고 한다.

2002년부터 2004년까지 지속된 중국에서 발생한 사스(중증 급성 호흡기 증후군Severe Acute Respiratory Syndrome)는 한국 내 환자 수가 적어 국내 영화제에는 전혀 영향을 미치지 않았지만 중국에서는 많은 환자와 사망자가 발생했다. 상하이국제영화제 등에 큰 영향을 미쳤는데 상하이국제영화제는 엉뚱하게도 한국 영화인들의 초청을 모두 취소하고 입국을 불허하는 현실과 동떨어진 조치를 취했다. 토론토영화제의 대표를 지낸 피어스 핸들링 씨에 의하면, 중국인 커뮤니티가 큰 캐나다에서는 사스의 영향이 적지 않았고 영화제들에도 영향을 미쳤다고 한다.

2008년 미국의 서브프라임 모기지 사태와 리먼 브라더스 파산으로 인한 세계 금융 위기는 전 세계 모든 영화제들을 위축시켰다. 부산국제영화제의 경우는 팽창기에 접어든 시기라 비교적 금융위기의 영향이 덜했지만 북미 지역, 특히 미국의 경우는 완전히 다른 양상을 보여줬다.

서유럽 경제도 굉장한 타격을 받았는데 네덜란드의 자랑인 암스테르담 로얄 콘서트헤보우 오케스트라The Royal Concertgebouw Orchestra는 단원 3분의 1을 해촉할 정도였다. 그때, 로테르담국제영화제의 예산도 대폭 감축됐고, 영화제도 구조조정에 빠지는 아픔이 있었다.

2010년 4월에는 아이슬란드 남쪽 에이야파들라이외쿠들 화산이 189년 만에 재폭발했다. 화산재가 섞인 대규모 구름이 이동하며 국제영화제의 가장 중요한 운송 수단인 항공 수단을 마비시켰고 서유럽과 북유럽의 모든 하늘길을 막았다. 유럽 지역 항공편 중 70% 이상이 취소돼 수백만 명의 항공 여행자들을 육상에서 난파시켰던 항공대란으로, 나도 피해자 중 한 명이었다.

권위주의 체제가 대부분인 아시아대륙에서는 정치적인 사건이나 정치적인 압력이 빈번하고 이는 국제영화제 발전을 저해하는 가장 큰 요인으로 작용한다. 정치적인 압력은 일종의 간접적인 검열 형태로 국제영화제에 매우 부정적인 영향을 미친다. 아시아에서 가장 자유로운 나라라고 자부했던 한국에서 열리는 부산영화제조차 2014년부터 2018년까지 '부산 영화제 사태'가 지속되면서 세계로 도약하고자 했던 영화제의 꿈은 꺾이고 말았다.

코로나19

2019년 겨울부터 국제영화제의 천적이라고 할 수 있는 코로나19가 창궐하기 시작했다. 국제영화제의 존립을 불확실하게 만들고 영화감독과의 대면 커뮤니케이션을 불가능하게 만드는 코로나19는 3년째 이어지고 있다. 온라인을 통한 영화인들과의 만남, 코로나19 바이러스와 함께하는 영화제 등 이런저런 대안들이 강구되고 시도되었지만 코로나19의 퇴치 없이 국제영화제 문화를 회복하기는 불가능해 보인다.

코로나19 시대에 우리 곁을 떠난 사람들

10여 년 전 심사위원장직을 수행하기 위해 크리스티네 여사와 함께 부산을 방문하여 영화제를 빛내 주었던 세르비아의 거장 고란 파스칼레비치Goran Paskaljević 감독이 2020년 9월, 우리의 곁을 떠났다.

베오그라드, 베를린, 카를로비바리, 그리고 부산에서의 고인과의 추억을 떠올리면서 〈기차를 사랑한 개The Dog Who Loved Trains〉(1977), 〈특별 취급Special Treatment〉(1980), 〈기적의 시대Time of Miracles〉(1989), 〈어떻게 해리는 나무가 됐을까How Harry Became a Tree〉(2001), 〈허니문Honeymoons〉(2009) 등 그의 대표작들을 생각한다.

위대한 영화 사상가이자 영화감독인 아르헨티나의 페르난도 솔라나스Fernando Solanas 감독이 2020년 11월 6일 파리에서 코로나19의 병마를 이기지 못하고 우리의 곁을 떠났다.

부산영화제가 가난했지만 영화에 대한 열정과 영화작가에 대한 경배심으로 충만했던 시절인 1998년, 솔라나스 감독은 부산을 찾아 우리에게 큰 울림과 감동을 전했고 동시에 부산이 주목할 만한 영화제로 발돋움하는 데 큰 힘을 보태주었다. 부산호텔에서 열린 그의 마스터 클래스에서 영화 인생의 정신적 스승인 그의 얼굴을 보기 위해 서울에서 한걸음에 달려왔다고 하는 한 방송인을 만났다. 그는 행사장에 사람이 적지 않을까 걱정하고 있던 내 팔을 잡고 떨리는 목소리로 이런 자리를 만들어줘서 고맙다는 감사의 인사를 허리를 숙여 여러 번 전하기도 했다. 청중이 적을 수도 있을 거라는 나의 생각은 오만한 영화 엘리트주의에서 기인한 단견이자 기우였다.

키르기스스탄의 평론가 굴바라 톨로무쇼바Gulbara Tolomushova 씨로부터 카자흐스탄에서 라트비아로 이주해서 활동하던 김기덕 감독이 자신의 환갑일인 12월 20일을 불과 한 주 앞둔 2020년 12월 11일에 코로나19 합병증으로 타계했다는 충격적인 비보를 들었다. 발티마에이드병원에 입원한 지 이틀 만에 사망했다고 한다.

김기덕 감독이 타계하기 전 신작을 준비하면서 마지막 6개월을 함께 보낸 에스토니아의 아르투르 베베르Arthur Veeber 프로듀서와 연락이 닿았다. 김기덕 감독이 에스토니아 영화진흥위원회의 제작 지원을 받기 위해 14번이나 각본을 고쳐 썼고, 2021년 봄에 촬영하려고 했던 신작 프로젝트 〈비, 구름, 눈, 그리고 안개Rain, Cloud, Snow, and Fog〉를 제출해 결과를 기다리고 있었다는 안타까운 소식도 들었다. 베베르 프로듀서는 김기덕 감독과 함께 신작을 준비하면서 장소 헌팅도 같이 다녔다는데, 곧 김기덕 감독에 대한 다큐멘터리를 제작한다고 내게 말했다.

2020년 12월 김포의 한 장례식장에서 상주인 딸이 지키고 있던 김기덕 감독의 빈소에는 오직 네 명의 영화인들만이 다녀갔다. 한국영화의 세계화에 큰 족적을 남겼던 이의 빈소라고 하기에는 믿기 어려울 정도로 쓸쓸하고 황폐한 분위기였다. 그의 마지막 길은 말로 표현하기 어려울 정도의 황량함마저 느껴졌다.

새로운 출발 1
바르샤바국제영화제

Warsaw Film Festival

바르샤바국제영화제
매년 10월 초 폴란드 바르샤바에서 열리는 경쟁영화제로
국제제작자연맹에 등재된 8대 대표 영화제이다.

처음 바르샤바에 가게 된 것은 바르샤바국제영화제의 스테판 라우딘 집행위원장의 초대로 폴란드 영화 신작들을 보기 위해서 카를로비바리국제영화제를 거쳐서였다.

중앙역에 있는 메리어트호텔에 머물면서 호텔에서 세 블럭 떨어져 있는 바르샤바국제영화제 사무실을 오가며, DVD 스크리닝을 통해서 신작들을 몰아서 보는 일정이었다. 이후 레흐 바웬사Lech Walesa가 이끌던 '자유노조Solidarnosc'로 유명한 조선소가 있는 그단스크Gdańsk에서 그디니아영화제Gdynia Film Festival에 참가했다. 폴란드 국내 영화제로 대부분의 폴란드 신작들을 볼 수 있는 좋은 기회였고, 특히 개막 리셉션에서 정말 많은 폴란드 감독들과 프로듀서들, 배우들을 만났던 유익한 영화제였다. 라우딘 위원장은 나를 찾아 그디니아에 오기도 했는데, 그와 함께 폴란드식 점심을 같이 먹으면서 폴란드 영화 현황에 대한 이야기를 듣기도 했다.

두 번째로 바르샤바를 방문하게 된 것은 아담미치키에비치인스티튜트Adam

Mickiewicz Institute, 주한폴란드대사관과 공동으로 폴란드 특별전을 개최하기 위해 세부 계획을 논의하고 작품을 선정하기 위해서였다. 매일 호텔에서 도보로 30분 거리에 있는 현대예술센터Centre for Contemporary Art까지 오가면서 오전 오후 내내 스크리닝에 참가했고, 점심도 그곳에서 해결을 하면서 작품 선정 작업에 몰두했다. 나중에 들은 얘기지만 현대예술센터는 브로츠와프에서 열리는 아메리칸필름페스티벌의 울카 시니에고브스카Ulka Śniegowska 집행위원장이 프로그램 큐레이터로 일했던 곳이라고 한다.

그로부터 9년 만에 세 번째 찾은 바르샤바에서 처음으로 바르샤바영화제에 갔다. 오랜만에 유럽에 온 탓인지 시차 적응에 실패했고, 오전 1시에 눈을 떴다. 어쩔 수 없이 영화제 프로그램 북과 웹사이트를 살펴보면서 시간을 보

스탈리니스트 고딕 양식의 키노테카

심사위원 디너

냈다.

조식을 먹은 후 영화제의 메인 베뉴와 변화된 바르샤바의 거리도 둘러봤고, 제트렉을 완화시키기 위해서 5㎞쯤 걷기로 했다. 내가 투숙하고 있는 메리어트호텔은 도시 중심에 위치하고 있는데, 바로 길 건너편에 위치한 바르샤바중앙역에 국철, 버스, 트램, 그리고 도시전철 정거장이 모두 모여 있다. 그 거리에서 가장 중요한 두 건물의 전광판을 우리의 두 글로벌 기업 삼성과 LG가 장악함으로써 한국의 높아진 위상을 확인할 수 있었다.

가까이에 영화제의 메인 상영관인 키노테카와 멀티플렉스인 멀티키노가 있다. 키노테카는 모스크바에도 8개나 있는 전형적인 스탈린니스트 고딕 양식의 건물이다. 폴란드가 강경 공산주의 노선을 걷고 있을 때에는 인민들을

2021년 바르샤바영화제 개막식. 다리우스 야브욘스키 감독과 스테판 라우딘 집행위원장

복속시키기 위해 필요했겠지만, 애당초 자유와 예술과 과학을 숭상하는 폴란드 사람들에게는 어울리지 않는 것이다.

어쨌든 바르샤바영화제는 메인 호텔에서 도보 5분 거리에 상영장들이 있는 최적의 베뉴를 자랑한다. 오후 8시에 시작되는 개막식 직전에, 모든 심사위원들이 함께 하는 디너에 초대됐다. 무려 열다섯 명이 어깨를 맞대고 촘촘히 앉는 자리였다. 서로 악수를 하면서 자신을 소개하는 자리에서 페이스 마스크를 쓰고 거리 두기를 하자고 고집을 부릴 수는 없는 노릇이었다. 10월 15일 이집트의 엘구나영화제로 가기 위해 출발 3일 전에 PCR 검사를 해야 하는 나로서는 내심 불안했지만 백신 접종을 완료한 우리 모두를 신뢰하기로 하고 오히려 단체 사진을 제안했다.

라우딘 위원장의 진행으로 시작된 개막식에서 부산국제영화제에 그의 작품이 두 번이나 초대된 적이 있는 다리우스 야브욘스키Dariusz Jabłoński 감독은, 점증하는 새로운 파시즘과 반유대주의에 맞서 싸워야 한다고 천명함으로써 관객들로부터 큰 박수를 받았다. 항상 예상하지 못한 곳에서 배움의 기회는 주어진다.

"낙엽은 폴란드 망명 정부의 지폐. 포화에 이지러진 도룬 시의 가을하늘을 생각게 한다"

이집트 엘구나영화제에 가기 위해서 필요한 PCR 음성 증명서도 잘 챙기고 짐을 꾸린 후 잠시 여유를 즐기는 동안, 문득 폴란드와 낙엽이라는 어휘의 연상 작용 때문인지 주지주의 시인이자 모더니스트였던 김광균 님의 시 「추일서정」(1940)의 첫 구절이 떠올랐다.

물가는 우리나라보다 조금 싸지만 외식비는 거의 비슷한 이곳에서 바르샤바영화제는 불과 7억여 원의 소액 예산으로, 네 명의 상근직 직원들과 단기직 직원들이 혼연일체가 되어 백여 명의 해외 게스트들을 돌보고 150여 편의 초청작을 상영했다. 코로나19 시대 대안적 영화제의 모본을 보여줌과 동시에 "문화가 없으면 미래도 없다"는 슬로건의 함의를 실증적으로 보여준다.

영화보다는 틈만 나면 처우와 근무 여건 개선을 앞세우는, 그러나 노동 생산성은 너무 낮은 우리네 영화제들과는 달라도 너무 달랐다. 영화에 대한 애정과 오직 영화제를 사수하겠다는 책임감 하나로 충만했던 25년 전의 모습은 성공과 함께 잃어버린 듯하다.

새로운 출발 2
엘구나영화제

El Gouna Film Festival

엘구나영화제
이집트의 석호 도시 엘구나에서 10월 말에 열리는 신생 영화제로 극영화/다큐멘터리 경쟁 부문을 중심에 두고 있다.

홍해를 사이에 두고 사우디아라비아를 마주보고 있는 위치에 있는 엘구나는 아랍어로 '석호'를 뜻하는 주민 2만 3천여 명의 휴양 도시이다. 1989년 몬테네그로와 이집트 국적을 갖고 있는 건축가이면서 사업가인 사미흐 사위리스 Samih Sawiris 회장이 직접 설계해서 건설했다. 그의 동생이자 억만장자인 나깁 사위리스Naguib Sawiris 회장은 2016년에 엘구나영화제를 창설했다.

아랍영화인들의 든든한 안식처였던 아부다비, 도하, 그리고 최근 부활의 조짐이 있는 두바이국제영화제가 공식적인 사유도 표명하지 않고 사라진 후, 아랍 영화와 북아프리카 영화의 지킴이 역할을 하고 있는 엘구나영화제의 존재는 더할 나위 없이 소중하다. 최근 사우디아라비아의 제다에서 오미크론 변이의 창궐에도 불구하고 아랍 영화문화를 승계해 갈 제1회 홍해국제영화제가 개최된 것은 매우 고무적인 일이 아닐 수 없다.

바르샤바에서 8일 동안 일하고 이스탄불을 경유해서 이집트 엘구나의 뫼벤픽 호텔에 도착한 시각은 오전 2시였지만 시차 문제가 없어서 심하게 피곤

2021년 엘구나영화제 다큐멘터리 경쟁부문 심사위원

하진 않았다. 오전 6시 반이 조금 넘어 눈을 떴는데 전혀 생각하지 못한 사람으로부터 초대 메시지를 받았다. 울주세계산악영화제 집행위원장을 겸하고 있는 배창호 감독이 식당에서 조식을 함께 하자는 연락이었다. 나보다 일찍 도착한 배 감독님은 개막식도 참석하고 아시아영화진흥기구상(넷팩상) 심사위원으로서 열심히 아시아영화를 보고 있었다.

30분 후에 식당으로 내려온 인티샬 알 티미미 엘구나영화제 집행위원장과 크리스티앙 쥔 칸국제영화제 영화 부문 위원장을 18개월 만에 만나 반갑게 포옹을 했다.

해변가 유칼립투스 나무들이 있는 장소로 다큐멘터리 경쟁부문 심사위원 5인이 즉흥적으로 모두 모여, 서로의 이름을 익히면서 일정을 확정했다. 오후 늦게 시작된 스크리닝은 세 번째 영화가 오후 11시 반에 끝나면서 올해 중 가장 길었던 하루가 완결됐다.

다음 날 아침, 심사위원들에게 턱시도를 제공하는 협찬사 '컨크리트Concrete'에 가서 가봉을 하기 위해 급히 호텔을 나섰다. 내 예상과 달리 '컨크리트'는 영화 〈바그다드 카페Bagdad Cafe〉(1987)에 나오는 주 공간처럼 비현실적으로 보이는 도로 옆에 있었고, 인적이 드문 곳에 있어 영화 세트처럼 낯선 느낌을 줬다.

피팅에 소요된 시간은 20분 정도. 나는 친절한 네 명의 직원들에게 "슈크란Shukran"을 반복하면서 문을 나섰다.

지난 사흘 동안 내가 묵고 있는 호텔의 옆 방 손님이 간헐적으로 계속 기침을 심하게 했기에 나는 그의 건강 상태에 대해서 불안감을 느끼기 시작했다.

고대 이집트 건축 양식이 가미된 엘구나영화제의 메인 베뉴 페스티벌플라자

씨시네마에서 만난 배창호 감독과 함께

더구나 다음 날 한국으로 돌아가기 위해서 필요한 PCR 검사를 앞두고 있던 상황이었다. 그가 반복적으로 코를 풀고 기침 소리를 내서 불안감이 배가됐고, 결국 다른 안식처로 옮기기로 했다. 어떤 영화제도 코로나19로부터 안전하지 않다.

다큐멘터리 경쟁작 중 마지막 작품을 페스티벌플라자에 있는 야외 상영장에서 보게 되었다. 전 세계에서 가장 아름다운 야외 상영장인 풀라영화제의 아레나나 로카르노영화제의 피아체그란데에서 봤던 것처럼 이따금 나는 야외 상영장에서 다큐멘터리영화들을 보는 것을 즐긴다. 엘구나영화제 역시 고대 이집트 스타일의 기둥들에 둘러싸여 있는 페스티벌플라자에 위치한, 쾌적

하고 편안한 분위기를 제공하는 멋진 야외 상영장을 가지고 있다.

나는 심사위원들 중 팔레스타인의 나말라에서 온 여성 프로듀서 메이 오데May Odeh 씨와 자주 대화를 했다. 내가 오랫동안 궁금해했던 아랍영화나 아랍인을 묘사한 서구의 영화에서 볼 수 있는 '포효하거나 환호하는 큰 소리Ululation'의 의미와 발성 방법에 대해 그녀에게 배우기도 했다. 그녀는 팔레스타인에서 열리는 국제영화제에 내가 초대받도록 주선을 하겠다고 말했고, 나는 다시 영화제 일을 하게 되면 꼭 가겠다고 답했다.

1996년 부산국제영화제 창설자로서 처음 간 칸국제영화제

1996년 5월 부산국제영화제의 창설자이자 프로그래머로서 김동호 이사장과 둘이 출장비용이라고 할 수도 없는 소액의 최소한의 비용을 가지고, 부산영화제 개최 날짜를 널리 알리며 해외 영화계의 주요인사들을 소수라도 초청하기 위해서 칸국제영화제에 갔다.

제1회 부산영화제 행사를 소개하는 영문 리플렛 1,200부를 제작했다. 리플렛 제작은 늦어졌고 칸에 처음 가는 것이라 일정한 수신처도 없어 1,200부의 리플렛을 내가 혼자 들고 갈 수밖에 없는 상황이었다.

아마 평생 그때만큼 땀을 많이 흘린 적은 없을 것이다. 니스 공항에 도착해서 섭씨 30도가 훨씬 넘었던 뜨거운 날씨에 후끈 달구어진 탑승교를 이동할 때는 정신이 혼미해질 정도였다. 1,200부의 리플렛의 무게는 예술영화만을 사랑하는 내가 누구와도 나눌 수 없고, 오롯이 혼자 평생을 짊어져야 하는 삶의 무게 같은 생각이 들 정도였다.

칸에서 차로 십여 분 정도 떨어져 있는 르카네Le Cannet에 있는 2성급의 호텔 방 하나를 예약해서 김동호 이사장과 내가 함께 쓰기로 했다. 작은 호텔 정도로 생각했던 곳은 그러나 예상보다 훨씬 더 상태가 열악했고, 방에 들어가 보니 작은 빨간색 원형 침대 하나만 덩그러니 놓여있는 러브호텔이었다. 깜짝 놀란 나는 리셉션에 침대가 두 개 있는 다른 정상적인 방은 없느냐고 물었지만 영화제 기간이라 방이 없다는 대답만 들었을 뿐이었다. 할 수 없이 방으로 돌아와 짐을 풀고, 나는 바닥에서 자기로 결정했다. 영화제 집행위원장과 창설자가 칸영화제에서의 첫날을 그렇게 시작하는 경우는 아무리 작은 규모의 영화제라고 하더라도 다시는 없을 것이다.

중국의 춘추전국시대에 오나라와 월나라 사이에 앙숙관계에서 빚어진 와신상담臥薪嘗膽의 고사처럼, 그 후에 나는 항상 큰 어려움을 겪을 때마다 부산영화제의 창설자로서 칸영화제에 처음 갔을 때의 어려움을 떠올리며 나 자신을 곧추세우고 추스르곤 한다.

감사의 글 *Acknowledgements*

『영화관에서의 일만 하룻밤』의 출간과 기나긴 영화 여정이 가능하도록 도와주신 모든 분들께 감사드립니다.

강우석 감독 강이관 감독 강제규 감독 김대현 감독 김동원 감독 김성수 감독 김소영 감독 김의석 감독 김태영 감독 박광수 감독 박미나 감독 박진표 감독 박찬욱 감독 배창호 감독 변영주 감독 봉준호 감독 성지혜 감독 손수범 감독 신 톡 감독 윤제균 감독 이광모 감독 이명세 감독 이세민 감독 이승우 감독 이영미 감독 이장호 감독 이재용 감독 이정국 감독 이창동 감독 이충렬 감독 임권택 감독 장기철 감독 장선우 감독 정성일 감독 정지영 감독 조재홍 감독 허진호 감독 홍상수 감독

권영락 김경미 김동호 김두호 김난숙 김네모 김달선 김시무 김예진 김은영 김정아 김하원 김호일 맹완호 명계남 민성욱 박영희 백건우 서영주 손민경 손 숙 신강호 신 철 안동규 안병률 안성기 양시영 오미선 유정동 유지나 윤여정 윤정희 이덕신 이명희 이선옥 이수원 이준동 이충직 이하영 이향진 이효진 임안자 장미희 장서희 장석용 장선우 전봉미 전찬일 전효준 정성헌 정재형 정태진 제갈송 차여명 채수진 채연선 채희승 최인범 한 결 황영미

고 강한섭 교수 고 김기덕 감독 고 김지석 부산국제영화제 부집행위원장 고 박건섭 프로듀서 고 박철수 감독 고 유현목 감독 고 이언경 대표 고 이춘연 대표

Cannes Film Festival	Thierry Frèmaux Jerome Paillard Christian Jeune
Berlin Film Festival	Mariette Rissenbeck Carlo Chatrian Cristina Nord Mark Peranson Dennis Ruh
Venice Film Festival	Alberto Barbera Angela Savoldi Paolo Bertolin Elena Pollacchi
Toronto International Film Festival	Cameron Bailey
Karlovy International Film Festival	Karel Och
International Film Festival Rotterdam	Vanya Kaludjercic Gerwin Tamsma
Hong Kong International Film Festival	Wilfred Wong Albert Lee
Tokyo International Film Festival	Ichiyama Shozo
Black Night Film Festival	Tiina Lokk
Transylvania Film Festival	Tudor Giurgiu
Fribourg International Film Festival	Thierry Jovin
Festival on Wheels	Ahmet Boyacioğlu Başak Emre
Mar del Plata International Film Festival	Marcelo Alderete
Gothenburg International Film Festival	Freddy Olsson Cia Edstrom
Munich International Film Festival	Bernhard Karl
Dublin International Film Festival	Grainne Humphreys
Warsaw International Film Festival	Stefan Laudyn
Sarajevo International Film Festival	Mirsad Purivatra
El Gouna Film Festival	Intishal Al Timimi Teresa Cavina
Florence Korean Film Festival	Riccardo Gelli Eun Young Jang
Udine Far East International Film Festival	Sabrina Baracetti Thomas Bertacche
Golden Apricot Yerevan International Film Festival	Harutyun Khachatryan
Deauville American Film Festival	Aude Esbert
Vesoul Asian Film Festival	Martine Therouanne Jean-Marc Therouanne
Sofia International Film Festival	Stefan Kitanov Mira Staleva

Pula Film Festival	Zlatko Vidakovic
American Film Festival	Ulka Śniegowska
UniFrance	Serge Toubiana Yann Raymond
European Film Promotion	Jo Műhlberger
EYE Film Institute	Sandra den Hamer
Cinémathèque Française	Jean-François Rauger
Kawakita Memorial Film Institute	Yuka Sakano

Sitora Alieva	Eduardo Antin	Adriano Apra	Zeynep Atakan	Violeta Bava
John Boorman	Frèdèric Boyer	Lee Isaac Chung	Ludmila Cvikova	Moritz de Hadeln
Michel Demopoulos	Claire Denis	Russell Edwards	Dale Fairbairn	Simon Field
Fridrik Thor Fridrikkson	Jean-Michel Frodon	Roger Garcia	Peter Greenaway	Erica Gregor
Ulrich Gregor	Hayashi Kanako	Jouni Hokkanen	Benjamin Illos	Jia Zhangke
Neil Jordan	Kenny Kim	Yuliya Kim	Dieter Kosslick	Koreeda Hirokazu
Dubravka Lakic	Sergey Lavrentiev	Bryan Lee	Helen Lee	Anke Leweke
Joanna Łapińska	Labina Mitevska	Teona Mitevska	Thomas Nam	Nikolaj Nikitin
Garin Nugroho	Thom Palmen	Jafar Panahi	Thomas Prasek	Simojukka Ruippo
Jerry Schatzberg	Volcker Schlöndorf	Jim Sheridan	Marianne Slot	Karla Stojakova
Takeo Hisamatsu	Quentin Tarantino	Lorna Tee	Christof Terechte	Goran Topalovic
Jan Troell	Tsai Ming-liang	Miroljub Vuckovic	Norman Wang	Wim Wenders
Dorothea Wenner	Michael J. Werner	Wong Kar Wai	June Wu	Yano Kazuyuki
Tom Tatsumi Yoda	Cassie Yu	Julietta Zacharova	Krzysztof Zanussi	Zao Tao

The late Gunnar Almér	The late Theo Angelopoulos	The late Wouter Barendrecht
The late Erika de Hadeln	The late Dimitri Eipides	The late Abbas Kiarostami
The late Dušan Makavjev	The late Wigbert Moschall	The late Jeanne Moreau
The late Ogawa Shinsuke	The late Goran Paskaljevic	The late Kirill Razlogov
The late Pierre Rissient	The late Fernando Solanas	The late Peter van Bueren
The late Wong Ain-ling	The late Vadim Yusov	The late Eva Zaoralova